MAURICE LEBLANC

Arsène Lupin
Contra Herlock Sholmes

Camelot
EDITORA

CONHEÇA NOSSO LIVROS
ACESSANDO AQUI!

Copyright desta tradução © IBC - Instituto Brasileiro De Cultura, 2021

Título original: Arsène Lupin contre Herlock Sholmès
Reservados todos os direitos desta tradução e produção, pela lei 9.610 de 19.2.1998.

2ª Impressão 2023

Presidente: Paulo Roberto Houch
MTB 0083982/SP

Coordenação Editorial: Priscilla Sipans
Coordenação de Arte: Rubens Martim (capa)
Produção Editorial: Eliana S. Nogueira
Tradução e preparação de texto: Fabio Kataoka
Revisão: Cláudia Rajão

Vendas: Tel.: (11) 3393-7727 (comercial2@editoraonline.com.br)

Foi feito o depósito legal.
Impresso na China

Dados Internacionais de Catalogação na Publicação (CIP)
(eDOC BRASIL, Belo Horizonte/MG)

L445a   Leblanc, Maurice, 1864-1941.
           Arsène Lupin contra Herlock Sholmes / Maurice Leblanc. –
      Barueri, SP: Camelot Editora, 2021.
      15,5 x 23 cm

      ISBN 978-65-87817-10-1

      1. Ficção francesa. 2. Literatura francesa – Romance. I. Título.
                                                             CDD 843

Elaborado por Maurício Amormino Júnior – CRB6/2422

IBC — Instituto Brasileiro de Cultura LTDA
CNPJ 04.207.648/0001-94
Avenida Juruá, 762 — Alphaville Industrial
CEP. 06455-010 — Barueri/SP
www.editoraonline.com.br

SUMÁRIO

Introdução 5

A Mulher Loira 6
Capítulo 1: Número 514, série 23 7
Capítulo 2: O Diamante Azul 26
Capítulo 3: Herlock Sholmes e o início do duelo 41
Capítulo 4: Algumas Luzes na Escuridão 57
Capítulo 5: Um Sequestro 71
Capítulo 6: A Segunda Prisão de Arsène Lupin 87

A Lâmpada Judaica 104
Capítulo 1 105
Capítulo 2 124

INTRODUÇÃO

Arsène Lupin, o ladrão de casaca, surgiu em 1905. A obra foi uma encomenda do editor Pierre Lafitte da revista francesa Je sais tout, para concorrer com Sherlock Holmes, o famoso detetive inglês. Maurice Leblanc responsável pela criação de Arsène Lupin criou então Herlock Sholmes, único homem que podia ser capaz de deter o astuto Lupin. Herlock Sholmes é uma espécie de Sherlock Holmes às avessas, Sholmes sempre é enganado e mostra-se menos inteligente que seu rival, o ladrão Arsène Lupin. Ele também conta com um ajudante que é uma paródia de Watson, chamado Wilson. Sagacidade, inteligência, astúcia, cavalheirismo, bom humor e ambientes refinados, cheios de enigmas fazem parte do duelo entre Arsène Lupin e Herlock Sholmes.

A MULHER LOIRA

Capítulo 1

NÚMERO 514, SÉRIE 23

No último dia 8 de dezembro, Sr. Gerbois, professor de matemática do Versailles College, estava remexendo as mercadorias de um brechó quando descobriu uma pequena escrivaninha de mogno, que lhe agradou por ter muitas gavetas.

"É isso que eu quero para o aniversário de Suzanne", pensou.

Os recursos do Sr. Gerbois eram limitados e, por mais ansioso que estivesse por agradar à filha, sentiu que era seu dever pechinchar o preço. Ele acabou pagando sessenta e cinco francos. Enquanto escrevia seu endereço para entrega, um homem elegante, que andava vasculhando a loja em todas as direções, avistou a escrivaninha e perguntou:

— Quanto?

— Está vendido — respondeu o comerciante.

— Ah... para esse cavalheiro, talvez?

O Sr. Gerbois fez uma saudação e, mais feliz ainda por possuir o móvel cobiçado por outra pessoa, se retirou. Ele não tinha dado dez passos na rua quando o homem o alcançou e, erguendo o chapéu, disse, muito educadamente:

— Peço-lhe mil desculpas, cavalheiro... tenho uma pergunta indiscreta a lhe fazer... O senhor estava procurando especificamente essa escrivaninha?

— Não. Estava à procura de uma balança em oferta para algumas experiências de física.

— Quer dizer que não faz muita questão dela?

— Gostei dela, só isso.

— Porque é antiga, talvez?

— Porque é prática.

— Nesse caso, concordaria em trocar por uma escrivaninha igualmente prática, porém em melhor estado?

— Esta acha-se em bom estado e a troca me parece inútil.

— No entanto...

O Sr. Gerbois é um homem que se irrita com facilidade e que se ofende rapidamente. Respondeu secamente:

— Por favor, cavalheiro, não insista.

O desconhecido plantou-se à sua frente.

— Ignoro o preço que pagou, senhor... Ofereço-lhe o dobro.
— Não.
— O triplo?
— Ah, chega! — exclamou o professor, impaciente. — A escrivaninha me pertence e não está à venda.

O homem o fitou com um olhar que ficou gravado na memória do Sr. Gerbois. Depois deu meia-volta, sem dizer uma palavra, e foi embora.

Uma hora depois, a escrivaninha foi levada para a casinha na Viroflay Road onde o professor morava. Ele chamou sua filha:

— Isto é para você, Suzanne; isto é, se você gostar.

Suzanne era uma moça bonita, de temperamento extrovertido e facilmente satisfeita. Ela jogou os braços em volta do pescoço do pai e beijou-o tão arrebatadamente como se ele lhe tivesse dado um presente digno de uma rainha.

Naquela noite, auxiliada pela empregada Hortense, ela carregou a escrivaninha para seu quarto, limpou as gavetas e arrumou cuidadosamente seus pertences, seus papéis de carta, sua correspondência, seus cartões-postais e algumas lembranças secretas de seu primo Philippe.

Sr. Gerbois foi para o colégio às sete e meia da manhã seguinte. Às dez horas. Suzanne, de acordo com seu costume diário, foi encontrá-lo na saída; e foi um grande prazer para ele ver sua figura graciosa e sorridente esperando na calçada em frente ao portão. Eles voltaram para casa juntos.

— E você, gostou da escrivaninha?
— Oh, é linda! Hortense e eu polimos os cabos de latão até brilharem como ouro.
— Então você está satisfeita com o presente?
— Claro! Não sei como fiquei sem ele todo esse tempo.

Eles caminharam pelo jardim da frente. O professor disse:
— Vou dar uma olhada na escrivaninha antes do almoço.
— Sim, essa é uma boa ideia.

Ela subiu as escadas primeiro, mas, ao chegar à porta de seu quarto, deu um grito de consternação.

— Qual é o problema? — perguntou o Sr. Gerbois.

Ele a seguiu para dentro do quarto. A escrivaninha havia sumido.

O que surpreendeu a polícia foi a incrível simplicidade dos meios aplicados. Na ausência de Suzanne, e enquanto a empregada fazia suas compras, um transportador, devidamente identificado parara seu veículo em frente ao jardim e tocou duas vezes. Os vizinhos chegaram a ver a placa, mas ignoravam a ausência da empregada e não alimentaram nenhuma suspeita, de modo que o indivíduo executou o serviço na mais absoluta tranquilidade.

Com o seguinte detalhe: nenhum armário fora arrombado, nenhum relógio de parede, deslocado. Como se não bastasse, o porta-moedas de Suzanne, que ela deixara sobre o tampo de mármore da escrivaninha, estava na mesa ao lado com as moedas de ouro que continha. A motivação do roubo, portanto, estava claramente determinada, o que o tornava ainda mais inexplicável, pois, afinal, por que correr tantos riscos por um objeto tão comum?

A única pista que o professor pôde fornecer foi o incidente da véspera.

— Na mesma hora o rapaz manifestou, ante minha recusa, uma profunda contrariedade, e tive a impressão muito nítida de que se despedia com uma ameaça.

Foi tudo muito vago. O dono do brechó foi interrogado. Ele não conhecia nenhum dos dois cavalheiros. Quanto à escrivaninha, ele a comprou por quarenta francos em Chevreuse, em um leilão de objetos que pertenciam a um falecido, e considerou que o havia revendido por um preço justo. Uma investigação detalhada não revelou mais nada.

Mas o Sr. Gerbois continuou convencido de que sofrera um prejuízo enorme. Uma fortuna devia estar dissimulada no fundo falso de uma das gavetas, sendo esta a razão pela qual o rapaz, conhecedor do esconderijo, agira com tal determinação.

— O que teríamos feito com essa fortuna, paizinho? — perguntou Suzanne.

— O quê?! Ora, com um dote desses, você poderia aspirar aos melhores partidos.

Suzanne, que limitava suas pretensões ao primo Philippe, um partido medíocre, suspirava amargamente. E a vida na casinha de Versalhes continuava alegre, menos descuidada do que antes, obscurecida como pelo pesar e decepção.

* * *

Dois meses se passaram. E de repente, um após o outro, veio uma sequência de eventos mais graves, formando uma surpreendente sequência de coincidências e azar alternados.

No dia 1º de fevereiro, às cinco e meia, o Sr. Gerbois, voltou para casa com um jornal vespertino na mão, sentou-se, pôs os óculos e começou a ler. As notícias políticas eram desinteressantes. Ele virou a página e um parágrafo imediatamente chamou sua atenção:

"Terceiro sorteio da loteria das Associações da Imprensa.
O número 514, série 23, ganha um milhão..."

O jornal escorregou-lhe das mãos. As paredes vacilaram diante de seus olhos e seu coração parou de bater. O número 514, série 23, era o seu número!

Comprara por acaso, para fazer um favor a um amigo, pois não acreditava nem um pouco nos favores do destino, e eis que ganhava!

Imediatamente, pegou sua caderneta de anotações. Ali estava, na primeira folha, o número 514, série 23, para que ele não esquecesse. Mas e o bilhete?

Ele correu para o escritório para buscar a caixa de papéis de carta em que guardara o precioso bilhete; quando entrou, cambaleou para trás, com uma dor no coração: a caixa não estava lá e — que coisa horrível! — ele de repente percebeu que a caixa não estava lá há semanas.

— Suzanne! Suzanne!

A filha veio correndo. Subiu precipitadamente. O pai gaguejou, com a voz engasgada:

— Suzanne... a caixa... a caixa de papéis de carta...

— Qual?

— A do Louvre... que eu tinha trazido uma quinta-feira... e que ficava na ponta dessa mesa.

— Ora, não se lembra, pai? Estávamos juntos quando a guardamos...

— Quando...

— Aquela noite... você sabe... Na véspera do dia...

— Mas onde...? Responda... Está me matando...

— Onde...? Na escrivaninha.

— Na escrivaninha que foi roubada?

— Sim.

— Na escrivaninha que foi roubada!

Repetiu essas palavras baixinho, com uma espécie de pavor. Em seguida agarrou a mão da filha e, num tom ainda mais baixo:

— Ela continha um milhão, Suzanne...

— Ah, pai, por que não me contou? Ela murmurou ingenuamente.

— Um milhão! — ele repetiu. — Era o número vencedor da loteria da Imprensa.

A dimensão do desastre os aniquilava, e por muito tempo conservaram um silêncio que não tinham coragem de romper.

Por fim, Suzanne articulou:

— Mas pai, eles vão lhe pagar de qualquer maneira.

— A troco do quê? Com que provas?

— Então é preciso provas?

— Que pergunta!

— E você não tem?

— Sim, tenho uma.

— E não basta?

— Ela estava na caixa.

— Na caixa que desapareceu?

— Sim. E outro porá as mãos no dinheiro.

— Mas isso é abominável! Ora, papai, você não pode se opor?

— Sabe-se lá! Sabe-se lá! Esse homem deve ser muito forte! Dispõe de muitos recursos! Lembre-se... o caso desse móvel...

O Sr. Gerbois levantou-se num sobressalto, batendo com o pé no chão:

— Pois bem, não, não, ele não receberá esse milhão, não receberá! Por que o receberia? Afinal, por mais hábil que seja, tampouco pode fazer nada. Caso se apresente para receber, será engaiolado! Ah, veremos, meu rapaz!

— Tem então uma ideia, pai?

— Defender nossos direitos até o fim, aconteça o que acontecer! E triunfaremos...! O milhão me pertence: eu o terei!

Alguns minutos mais tarde, mandou o seguinte telegrama:

"*Crédit Foncier, Rue Capucines, Paris.*
Diretor,
Sou proprietário número 514, série 23. Rejeite todas vias legais qualquer reivindicação alheia.
Gerbois"

Quase ao mesmo tempo, o Crédit Foncier recebeu outro telegrama:

"*O número 514, série 23, está em minha posse.*
Arsène Lupin"

Sempre que me sento para contar uma das inúmeras aventuras que compõem a vida de Arsène Lupin, sinto um verdadeiro constrangimento, pois para mim é bastante claro que até a menos importante dessas aventuras é conhecida por todos os meus leitores. Na verdade, não há um movimento por parte de "nosso ladrão nacional", como ele foi delicadamente chamado, que não tenha sido descrito em todo o país, não há uma façanha, que não foi estudada de todos os pontos de vista, não há uma ação, que não foi comentada com uma abundância de detalhes geralmente reservados para histórias de feitos heroicos.

Quem não conhece, por exemplo, a estranha história da *Mulher Loira*, com aqueles episódios curiosos que geravam manchetes bombásticas: *O número 514, série 23... O crime da avenida Henri-Martin...! O diamante azul...!* Que alvoroço causou a intervenção do famoso detetive inglês Herlock Sholmes! Que efervescência após cada uma das peripécias que marcaram a luta desses dois grandes artistas! E que agitação nas ruas, o dia em que os jornaleiros vociferavam: "Arsène Lupin preso!".

Minha desculpa é que trago uma novidade: trago a chave do quebra-cabeça. Sempre há um pouco de mistério em torno dessas aventuras: eu a dissipo. Reproduzo artigos lidos e relidos, copio antigas entrevistas: mas tudo isso eu coordeno, classifico, submeto à exatidão da verdade. Meu colaborador é Arsène Lupin, cuja indulgência a meu respeito é inesgotável. E é também, no caso, o inefável Wilson, amigo e confidente de Sholmes.

Todos se lembram da formidável gargalhada que acolheu a publicação dos dois telegramas. O próprio nome de Arsène Lupin já era uma garantia de imprevisibilidade, uma promessa de divertimento para o público. E o público era o mundo inteiro.

Foi imediatamente instaurado um inquérito pelo Crédit Foncier e apurado que o número 514, série 23, tinha sido vendido pela sucursal de Versalhes do Crédit Lyonnais ao major Bressy da artilharia. Agora, o major morrera de uma queda de cavalo; e parecia que ele disse a seus colegas oficiais, algum tempo antes de sua morte, que ele fora obrigado a se desfazer de seu bilhete para um amigo.

— Esse amigo sou eu — afirmou o Sr. Gerbois.
— Prove — objetou o diretor do Crédit Foncier.
— Quer que eu prove? É fácil. Vinte pessoas lhe dirão que eu mantinha relações assíduas com o comandante e que nos encontrávamos no café da Place des Armes. Foi ali que, um dia, para confortá-lo num momento difícil, comprei seu bilhete pela soma de vinte francos.
— Tem testemunhas desse negócio?
— Não.
— Nesse caso, em que baseia sua reivindicação?
— Na carta que ele me escreveu a respeito.
— Que carta?
— Uma carta que tinha o bilhete grampeado.
— Mostre-a.
— Mas ela estava na escrivaninha roubada!
— Encontre-a.

A carta foi comunicada à imprensa por Arsène Lupin. Um parágrafo inserido no *Écho de France* — que tem a honra de ser seu órgão oficial e do qual parece ser um dos principais acionistas — anunciava que colocava nas mãos de Maître Detinan, seu advogado, a carta que o Major Bressy havia escrito para ele, Lupin, pessoalmente.

Houve uma explosão de alegria: Arsène Lupin foi representado por um advogado! Arsène Lupin, respeitando os costumes estabelecidos, havia nomeado um membro da ordem para agir por ele!

Os repórteres correram para entrevistar Maître Detinan, um influente deputado radical, um homem dotado da mais alta integridade e espírito de astúcia incomum, que era, ao mesmo tempo, um tanto cético e dada ao paradoxo.

Maître Detinan lamentou muito dizer que nunca teve o prazer de conhecer Arsène Lupin, mas, na verdade, recebeu suas instruções, ficou muito lisonjeado por ter sido selecionado, profundamente atento à honra que lhe foi mostrada e determinado a defender os direitos do seu cliente ao máximo. Ele abriu seu dossiê e sem hesitar mostrou a carta do major. Comprovou a venda do bilhete, mas não mencionou o nome do comprador. Começava simplesmente com "meu caro amigo".

"'Meu caro amigo significa eu', acrescentou Arsène Lupin, em uma nota, anexando a carta do major. "E a melhor prova é que tenho a carta."

O bando de repórteres aportou imediatamente na casa do Sr. Gerbois, que só fazia repetir:

— "Meu caro amigo" não é outro senão eu. Arsène Lupin roubou a carta do major com o bilhete de loteria.

— Que ele prove! — replicou Lupin aos jornalistas.

— E foi ele que roubou a escrivaninha! — exclamou o Sr. Gerbois perante os mesmos jornalistas.

E Lupin retrucou:

— Que ele prove!

E foi um espetáculo encantadoramente delirante esse duelo público entre os dois detentores do número 514, série 23, as idas e vindas dos repórteres, a frieza de Arsène Lupin diante do desespero do pobre Sr. Gerbois.

Pobre homem! O noticiário estava repleto de suas lamentações! Ele expunha a extensão de seu infortúnio com uma ingenuidade comovente.

— Foi o dote de Suzanne que o vilão roubou! De minha parte, pessoalmente, estou me lixando, mas e Suzanne? Pensem um pouco, um milhão! Dez vezes cem mil francos! Ah, eu bem sabia que a escrivaninha continha um tesouro!

Em vão lhe explicaram que seu adversário ignorava a presença de um bilhete de loteria e que ninguém podia prever que aquele bilhete tiraria a sorte grande. O Sr. Gerbois gemia:

— Ora vamos, ele sabia...! Caso contrário, por que se daria ao trabalho de roubar aquela escrivaninha miserável?

— Por razões desconhecidas, mas certamente não para se apoderar de um pedaço de papel que valia então a modesta soma de vinte francos.

— A soma de um milhão! Ele sabia disso... Ele sabe tudo...! Ah, vocês não conhecem o rufião! Ele não enganou você em um milhão!

Essa conversa poderia ainda ter durado muito tempo. Contudo, no décimo segundo dia, o Sr. Gerbois recebeu de Arsène Lupin uma carta que trazia a inscrição "confidencial". Leu-a com inquietude crescente:

"Prezado Senhor,

A plateia se diverte às nossas custas. Não acha que chegou a hora de ser sério? Eu, de minha parte, já me decidi.

A posição é clara: eu tenho um bilhete que não tenho direito a descontar e você tem direito a descontar um bilhete que não tem. Portanto, nenhum de nós pode fazer nada sem o outro.

Agora você não consentiria em ceder seus direitos a mim, nem eu em desistir de minha passagem para você.

O que devemos fazer?

Só vejo uma saída para a dificuldade: vamos dividir. Meio milhão para você, meio milhão para mim. Não é justo? E esse julgamento de Salomão não satisfaria o senso de justiça de cada um de nós?

Proponho isto como uma solução equitativa, mas também uma solução imediata. Não é uma oferta que você tem tempo para discutir, mas uma necessidade diante da qual as circunstâncias o obrigam a se curvar. Dou-lhe três dias para reflexão. Espero que, na sexta-feira de manhã, tenha o prazer de ver um anúncio discreto na coluna de agonia do Écho de France, dirigido a 'Sr. Ars. Lup.' e contendo, em termos velados, seu consentimento sem reservas ao pacto que estou sugerindo a você. Nesse caso, você recuperará imediatamente a posse da passagem e receberá o milhão, sabendo que me entregará quinhentos mil francos da forma que indicarei a seguir.

Se recusar, eu tomarei medidas que produzirão exatamente o mesmo resultado; mas, além do gravíssimo problema que sua obstinação lhe traria, ficará mais pobre em vinte e cinco mil francos, que eu devo deduzir para despesas adicionais.
Muito respeitosamente seu,
Arsène Lupin"

O Sr. Gerbois, em sua exasperação, foi culpado do erro colossal de mostrar esta carta e permitir que ela fosse copiada. Sua indignação o levou a todo tipo de loucura:

— Nada! Ele não terá nada! — exclamou, perante o bando de repórteres.

— Dividir o que me pertence? Jamais. Que rasgue o bilhete, se preferir!

— No entanto, quinhentos mil francos é melhor do que nada.

— Não se trata disso, mas do meu direito, e esse direito eu o farei prevalecer nos tribunais.

— Processar Arsène Lupin? Seria engraçado.

— Não, mas o Crédit Foncier. Tem obrigação de me entregar o milhão.

— Contra a apresentação do bilhete, ou pelo menos contra a prova de que o comprou.

— A prova existe, uma vez que Arsène Lupin confessa que roubou a escrivaninha.

— A palavra de Arsène Lupin bastará nos tribunais?

— Não importa, vou processar.

A opinião pública vibrava. Apostas foram feitas, uns sustentando que Lupin destruiria o Sr. Gerbois, outros que este seria destruído por suas próprias ameaças. E reinava uma espécie de aflição, de tal forma eram desiguais as forças entre os adversários, um tão audacioso em seu ataque, o outro, assustado como um animal ferido.

Na sexta-feira, o *Écho de France* teve sua tiragem esgotada e sua quinta página, seção dos classificados, avidamente esquadrinhada. Nenhuma linha era dirigida ao Sr. Ars. Lup. Às injunções de Arsène Lupin, o senhor Gerbois respondia com o silêncio. A guerra estava declarada.

À noite, todos souberam pelos jornais do sequestro da Senhorita Gerbois.

* * *

O detalhe mais interessante no que posso chamar de teatro Arsène Lupin é o papel eminentemente ridículo desempenhado pela polícia. Tudo passa fora de seu conhecimento. Lupin fala, escreve, avisa, ordena, ameaça, executa seus planos, como se não houvesse polícia, nem detetives, nem magistrados, nem impedimento de espécie alguma. Eles parecem não ter nenhuma importância para ele. Nenhum obstáculo entra em seus cálculos.

Mesmo assim, a polícia luta para fazer o melhor. No momento em que o nome de Arsène Lupin é mencionado, toda a força, de cima a baixo, pega fogo, ferve e espuma de raiva. Ele é o inimigo, o inimigo que zomba de você, o provoca, o despreza ou, pior ainda, o ignora. E o que se pode fazer contra um inimigo assim?

De acordo com o depoimento da empregada, Suzanne saiu de casa vinte minutos antes das dez horas. Às dez e cinco, seu pai, ao deixar o colégio, não a viu na calçada onde ela costumava esperar por ele. Tudo, portanto, deve ter acontecido durante a curta caminhada de vinte minutos que trouxe Suzanne de sua porta para o colégio, ou pelo menos bem perto do colégio.

Dois vizinhos declararam que haviam passado por ela a cerca de trezentos metros de casa. Uma senhora vira uma garota caminhando pela avenida cuja descrição correspondia à de Suzanne. Depois disso, ninguém tinha visto nada.

As investigações foram feitas de todos os lados. Os funcionários das estações ferroviárias e as barreiras alfandegárias foram interrogados. Eles não tinham visto nada naquele dia que pudesse se relacionar com o sequestro de uma jovem. No entanto, um dono da mercearia de Ville-d'Avray afirmou ter atendido um automóvel fechado, vindo de Paris, a gasolina. Havia um motorista no banco da frente e uma senhora de cabelos loiros dento. Cabelos excessivamente claros, disse a testemunha. O carro voltou de Versalhes uma hora depois. Um bloqueio no trânsito o obrigou a diminuir a velocidade e o dono da mercearia percebeu que agora havia outra senhora sentada ao lado da loira que ele vira primeiro. Esta segunda senhora usava véus e xales. Sem dúvida, era Suzanne Gerbois.

Consequentemente, o sequestro deve ter ocorrido em plena luz do dia, em uma estrada movimentada, bem no centro da cidade! Como? Em que lugar? Nenhum grito foi ouvido, nenhum movimento suspeito observado.

O dono da mercearia descreveu o carro, uma limusine Peugeot, 24 cavalos de potência, com corpo azul escuro. As perguntas foram feitas, por acaso, à Sra. Bob-Walthour, a gerente da Grand Garage, que costumava se especializar em fugas de automóveis. Na verdade, na manhã de sexta-feira, ela havia alugado uma limusine Peugeot para o dia a uma senhora de cabelos loiros, que não viu desde então.

— E o motorista?

— Ele era um homem chamado Ernest, eu o contratei no dia anterior com base em seus excelentes depoimentos.

— Ele está aqui?

— Não, ele trouxe o carro de volta e não voltou.

— Podemos falar com ele?

— Certamente, junto às pessoas que o recomendaram. Eu lhe darei os endereços.

A polícia chamou essas pessoas. Nenhum deles conhecia o tal homem chamado Ernest.

E cada trilha que eles seguiram para encontrar o caminho para fora da escuridão, conduzia apenas a uma escuridão maior e a neblinas mais densas.

Sr. Gerbois não era homem de manter uma competição que se abrira de forma tão desastrosa para ele. Inconsolável com o desaparecimento da filha e cheio de remorso, ele capitulou. Um anúncio que apareceu no *Écho de France* e suscitou comentários gerais proclamava sua rendição absoluta e sem reservas. Foi uma derrota completa: a guerra acabou em quatro vezes vinte e quatro horas.

Dois dias depois, Sr. Gerbois atravessou o pátio do Crédit Foncier. Ele foi levado ao diretor e entregou-lhe o número 514, série 23. O diretor estremeceu:

— Oh, então você tem? Eles devolveram para você?
— Eu o perdi e aqui está, respondeu Sr. Gerbois.
— Mas você disse... havia uma pergunta...
— Isso é tudo mentira e tagarelice.
— Mas mesmo assim devemos exigir algum documento corroborativo.
— A carta do major serve?
— Certamente.
— Aqui está.
— Muito bem. Por favor, deixe esses papéis conosco. Temos duas semanas para verificá-los. Avisarei você quando puder pegar o dinheiro. Nesse ínterim, acho que seria aconselhável concluir este negócio no mais absoluto sigilo.
— Isso é o que pretendo fazer.

Sr. Gerbois não falou, nem o diretor. Mas há certos segredos que vazam sem que nenhuma indiscrição tenha sido cometida, e o público de repente soube que Arsène Lupin teve a coragem de enviar o número 514, série 23, de volta para Sr. Gerbois! A notícia foi recebida com uma espécie de admiração estupefata. Que jogador ousado ele deve ser, para lançar sobre a mesa um trunfo tão importante quanto o precioso bilhete! É verdade que ele se desfizera intencionalmente, em troca de um cartão que igualou as chances. Mas suponha que a garota escapasse? Suponha que eles conseguissem recapturar seu refém?

A polícia percebeu o ponto fraco do inimigo e redobrou seus esforços. Com Arsène Lupin desarmado e espoliado por si mesmo, preso em suas próprias armações, não recebendo um único centavo do cobiçado milhão... os gozadores mudaram de lado.

Mas a questão era encontrar Suzanne. E eles não a encontraram, nem ela escapou!

Muito bem, diziam as pessoas, está resolvido: Arsène venceu o primeiro jogo. Mas a parte difícil ainda está por vir! Senhorita Gerbois está nas mãos dele, admitimos, e ele não a entregará sem os quinhentos mil francos. Mas como e onde se realiza a troca? Para que se efetue a troca deve haver uma reunião, e o que impede o Sr. Gerbois de informar a polícia e assim recuperar a filha e ficar com o dinheiro?

O professor foi entrevistado. Extremamente abatido, ansiando apenas pelo silêncio, ele permaneceu impenetrável:

— Não tenho nada a dizer; estou esperando.
— E a senhorita Gerbois?
— A busca continua.
— Mas Arsène Lupin escreveu para você?
— Não.
— Você jura isso?

— Não.

— Isso significa que sim. Quais são as instruções dele?

— Não tenho nada a dizer.

Maître Detinan foi o próximo a ser ouvido e mostrou a mesma discrição.

— Senhor Lupin é meu cliente, ele respondeu, com seriedade. Vocês compreendem que devo manter sigilo absoluto.

Todos esses mistérios incomodaram a plateia. Os enredos estavam evidentemente eclodindo no escuro. Arsène Lupin arrumava e apertava as malhas de suas redes, enquanto a polícia vigiava dia e noite o entorno do Sr. Gerbois. E as pessoas discutiram os únicos três finais possíveis: prisão, triunfo ou fracasso grotesco e lamentável.

Mas, por acaso, a curiosidade pública estava destinada a ser apenas parcialmente satisfeita; e a verdade exata é revelada pela primeira vez nestas páginas.

Na quinta-feira, 12 de março, o Sr. Gerbois recebeu a notificação do Crédit Foncier, em envelope comum.

À uma hora da sexta-feira, ele pegou o trem para Paris. Mil notas de mil francos cada foram entregues a ele às duas.

Enquanto ele os contava, um a um, com as mãos trêmulas — pois esse dinheiro não era o resgate de Suzanne? — dois homens conversavam em um táxi estacionado a uma curta distância da entrada principal. Um desses homens tinha cabelos grisalhos e um rosto poderoso, que contrastava estranhamente com seu traje e porte, que era de um pequeno escriturário. Era o inspetor-chefe Ganimard, o velho Ganimard, o inimigo implacável de Lupin. E Ganimard disse ao detetive-sargento Folenfant:

— O velho não vai demorar... vamos vê-lo sair em cinco minutos. Está tudo pronto?

— Bastante.

— Quantos somos?

— Oito, incluindo dois em bicicletas.

E eu, que conto por três. É o suficiente, mas não muitos. Aquele Gerbois não deve escapar de nós a qualquer preço... se ele escapar, estamos perdidos: ele encontrará Lupin no lugar que combinaram. Trocará a jovem por meio milhão; e perderemos Lupin de vista.

— Mas por que diabos o velho não age conosco? Seria tão simples! Ao nos ajudar no seu jogo, ele poderia ficar com o milhão inteiro.

— Sim, mas ele está com medo. Se ele tentar enganar o outro, não terá sua filha de volta.

— Que outro?

— Ele.

Ganimard pronunciou esta palavra em um tom grave e um tanto pasmo, como se estivesse falando de um ser sobrenatural que já lhe pregou uma ou duas peças desagradáveis.

— É muito estranho, disse o sargento Folenfant, juridicamente, que devamos ser reduzidos a proteger aquele cavalheiro contra si mesmo.

— Com Lupin, tudo fica de cabeça para baixo, suspirou Ganimard.
Um minuto se passou.
— Tenha cuidado! — Ganimard disse.
Sr. Gerbois estava saindo do banco. Quando chegou ao fim da Rue des Capucines, dobrou o bulevar, mantendo-se do lado esquerdo. Ele se afastou lentamente, ao longo das lojas, e olhou pelas janelas.
— Nosso amigo é muito quieto, disse Ganimard. Um sujeito com um milhão no bolso não fica tão quieto assim.
— O que ele pode fazer?
— Oh, nada, claro...Não importa, eu desconfio dele. Lupin é Lupin.
Nesse momento, o Sr. Gerbois dirigiu-se a uma banca, escolheu alguns jornais, esperou o troco, abriu um dos cadernos e, com os braços estendidos, avançando a passos curtos, começou a ler. Subitamente, deu um pulo e se jogou dentro de um automóvel que estacionava rente ao meio-fio. O motor estava ligado, pois ele partiu rapidamente, deixou a igreja da Madeleine para trás e desapareceu.
— Por Júpiter! — exclamou Ganimard. — Mais um golpe dele!
Saíra em disparada, e outros homens acorriam ao mesmo tempo em torno da Madeleine.
Mas ele caiu na gargalhada. Na entrada do bulevar Malesherbes, o automóvel tinha parado, enguiçado, e o Sr. Gerbois saía dele.
— Rápido, Folenfant... o motorista... pode ser o tal Ernest.
Folenfant ocupou-se do motorista. Chamava-se Gaston, era empregado da Sociedade dos Fiacres Automotivos; dez minutos antes, um senhor o contratara e lhe dissera para esperar "de marcha engatada", perto da banca, até chegar outro senhor.
— E a segunda corrida — perguntou Folenfant —, que endereço ele lhe deu?
— Nenhum endereço... "Bulevar Malesherbes... avenida de Messine... gorjeta dupla..." Só isso.

* * *

Nesse ínterim, contudo, sem perder um minuto, o Sr. Gerbois pulou dentro do primeiro táxi que passava.
— Siga para o metrô Concorde.
O professor saiu do metrô na praça do Palais-Royal, correu até outro táxi e se fez conduzir até a praça da Bolsa. Segunda viagem de metrô, depois avenida de Villiers, terceiro táxi.
— Para rua Clapeyron, 25.
O número 25 da rua Clapeyron é separado do bulevar des Batignolles pelo prédio que faz esquina. Gerbois subiu ao primeiro andar e tocou. Um senhor abriu.
— É aqui que mora o Maître Detinan?
— Sou eu mesmo. Sr. Gerbois, correto?

— Exatamente.
— Estava à sua espera, cavalheiro. Faça o favor de entrar.

Quando o Sr. Gerbois entrou no escritório do advogado, o relógio de parede marcava três horas. Ele disse imediatamente:

— É a hora marcada. Ele não está aqui?
— Ainda não.

O Sr. Gerbois sentou-se, secou a testa, consultou seu relógio como se não soubesse a hora e, ansiosamente, repetiu:

— Ele virá?

O advogado respondeu:

— Está me perguntando algo, senhor, que eu mesmo estou muito curioso para saber. Eu nunca me senti tão impaciente em minha vida. Em todo caso, se ele vier, está correndo um grande risco, pois a casa está sendo vigiada de perto há quinze dias... Eles suspeitam de mim.

— Não seria minha culpa! — gritou o professor, com veemência — e ele não pode ter nada para me censurar. O que eu prometi fazer? Obedecer às suas ordens. Bem, eu obedeci às suas ordens cegamente: recebi o dinheiro na hora que ele fixou e vim até aqui da maneira que ele ordenou. Eu sou responsável pelo infortúnio de minha filha e cumpri meus compromissos de boa-fé. Cabe a ele manter os dele.

E acrescentou, com voz ansiosa:

— Ele vai trazer minha filha de volta, não vai?
— Acredito que sim.
— Ainda assim... você o viu?
— Eu? Claro que não! Ele simplesmente me pediu por carta que eu recebesse a ambos e despachasse meus criados antes das três horas, sem admitir ninguém no meu apartamento entre sua chegada e sua partida. Se eu não concordasse com essa proposta, ele me pedia para avisá-lo com duas linhas no *Écho de France*. Mas estou muito contente de prestar um favor a Arsène Lupin e concordei com tudo.

O Sr. Gerbois gemeu:

— Ai de mim! Como isso tudo vai acabar?

Tirou do bolso as cédulas, espalhou-as sobre a mesa e fez dois maços iguais. Em seguida, eles se calaram. De tempos em tempos, o Sr. Gerbois prestava atenção... não tinham tocado a campainha?

À medida que os minutos passavam, sua angústia aumentava, e o Maître Detinan também experimentava uma sensação quase dolorosa.

Por um momento o advogado chegou a perder a compostura. Levantou-se bruscamente:

— Não o veremos... Como seria possível? Seria loucura da parte dele! Que ele tenha confiança em nós, vá lá, somos pessoas honestas, incapazes de traí-lo! Mas o perigo não está só aqui.

E o Sr. Gerbois, arrasado, com as duas mãos sobre as cédulas, balbuciava:

— Que ele venha, meu Deus, que ele venha! Dou tudo isso para rever Suzanne.

A porta se abriu.

— Basta a metade, Sr. Gerbois.

Alguém se mantinha na soleira, um homem jovem, vestido com elegância, em quem o Sr. Gerbois reconheceu imediatamente o indivíduo que o abordara nos arredores da loja de antiguidades, em Versalhes. Deu um pulo em sua direção.

— E Suzanne? Onde está minha filha?

Arsène Lupin fechou a porta com todo o cuidado e, enquanto tirava as luvas sossegadamente, dirigiu-se ao advogado:

— Caro doutor, não sei como lhe agradecer a gentileza com que aceitou defender meus direitos. Não esquecerei isso.

O Maître Detinan murmurou:

— Mas o senhor não tocou... Não ouvi a porta...

— Campainhas e portas são coisas que devem funcionar sem ferir nossos ouvidos. Mas aqui estou e isso é o essencial.

— Minha filha! Suzanne! O que fez com ela? — repetiu o professor.

— Meu Deus, senhor — disse Lupin —, que pressa! Vamos, acalme-se, mais um instante e a senhorita sua filha estará em seus braços.

Andou de um lado para outro, depois, no tom de um fidalgo que distribui elogios:

— Sr. Gerbois, meus parabéns pela esperteza com que agiu ainda há pouco. Se o automóvel não sofresse um enguiço absurdo, estaríamos tranquilamente na Étoile e pouparíamos ao Maître Detinan o aborrecimento dessa visita... Enfim!

Estava escrito...

Reparou nos dois maços de cédulas e exclamou:

— Ah, perfeito! O milhão está aí... não percamos tempo. Posso?

— Mas — objetou o Maître Detinan, colocando-se em frente à mesa — a senhorita Gerbois ainda não chegou.

— E daí?

— E daí que sua presença é indispensável...

— Compreendo! Compreendo! Arsène Lupin não inspira senão uma confiança relativa. Embolsa o meio milhão e não entrega a refém. Ah, meu caro doutor, sou um grande injustiçado! Porque o destino me levou a atos de natureza um tanto... especial, suspeitam de minha boa-fé... eu! Eu, o homem do escrúpulo e da delicadeza! Aliás, meu caro doutor, se está com medo, abra a janela e grite! Há um punhado de agentes na rua.

— Acha que sim?

Arsène Lupin levantou a cortina.

— Considero o Sr. Gerbois incapaz de despistar Ganimard... O que eu dizia? Ei-lo, esse querido amigo!

— Será possível! — exclamou o professor.

— Juro, no entanto...

— Que não me traiu...? Não duvido disso, mas os rapazes são espertos. Veja, Folenfant, logo ali...! E Gréaume...! E Dieuzy...! Todos meus bons amigos, ora!

O Maître Detinan fitava-o estupefato. Que tranquilidade! Ria um riso feliz, como quem se divertisse com alguma brincadeira, sem nenhum perigo a ameaçá-lo.

Mais ainda que a visão dos agentes, aquela despreocupação tranquilizou o advogado. Afastou-se da mesa onde estavam as cédulas.

Arsène Lupin pegou os dois maços, um depois do outro, aliviou cada maço de vinte e cinco cédulas e estendeu ao Maître Detinan as cinquenta cédulas assim obtidas:

— A parte dos honorários do Maître Gerbois, caro doutor, e a de Arsène Lupin. Nós lhe devemos isso.

— Os senhores não me devem nada — replicou o Maître Detinan.

— Como assim? E todo o incômodo que lhe causamos?

— E todo o prazer que sinto em me dar esse incômodo!

— Quer dizer, caro doutor, que não quer aceitar nada de Arsène Lupin. Eis no que dá — suspirou — ter má reputação.

Estendeu os cinquenta mil ao professor.

— Cavalheiro, como lembrança de nosso auspicioso encontro, permita que eu lhe entregue isto: será meu presente de núpcias para a Senhorita Gerbois.

O Sr. Gerbois pegou apressadamente as cédulas, mas protestou: — Minha filha não está se casando.

— Não, se o senhor lhe negar seu consentimento. Mas está louca para se casar.

— O que sabe sobre isso?

— Sei que moças costumam ter sonhos sem a autorização dos pais. Por sorte, há gênios benfazejos chamados Arsène Lupin e que, no fundo das escrivaninhas, descobrem o segredo dessas almas encantadoras.

— Não descobriu outra coisa também? — perguntou o Maître Detinan. — Confesso minha curiosidade em saber por que esse móvel foi objeto de sua atenção.

— Razão histórica, caro doutor. Embora, ao contrário da opinião do Sr. Gerbois, ele não contivesse nenhum tesouro exceto o bilhete de loteria — e isso eu ignorava —, faz tempo que eu o apreciava e procurava. Essa escrivaninha, em madeira de teixo e mogno, decorada com capitéis com folhas de acanto, foi encontrada na discreta casinha onde Marie Walewska morava em Boulogne, e tem gravada em uma de suas gavetas a inscrição: "Dedicada a Napoleão I, imperador dos franceses, por seu fiel servidor Mancion." E, embaixo, estas palavras, riscadas com a ponta de uma faca: "A ti, Marie." Em seguida, Napoleão mandou copiá-la para a imperatriz Josefina — de maneira que a escrivaninha que se admirava em Malmaisonb não passava de uma cópia imperfeita daquela que hoje faz parte de minhas coleções.

O professor gemeu:

— Ai de mim! Se eu soubesse disso no brechó, com que pressa a teria cedido ao senhor!

Arsène Lupin zombou:

— E, além disso, teria observado, exclusivamente para o senhor, o número 514, série 23.

— E o senhor não seria levado a sequestrar minha filha, a quem tudo isso deve ter abalado.

— Tudo isso?

— Esse sequestro...

— Mas, meu caro senhor, o senhor está enganado. A senhorita Gerbois não foi sequestrada.

— Minha filha não foi sequestrada?!

— De forma alguma. Quem diz sequestro diz violência. Ora, foi por livre e espontânea vontade que ela serviu de refém.

— Por livre e espontânea vontade! — repetiu o Sr. Gerbois, perplexo.

— E quase a seu pedido! Ora! Então uma moça inteligente como a senhorita Gerbois, e que, além disso, cultiva no fundo de sua alma uma secreta paixão, teria se recusado a salvar seu dote? Ah! Não foi difícil fazê-la compreender que não havia outro meio de vencer sua obsessão.

O Sr. Detinan se divertia. Contestou:

— O mais difícil era o senhor negociar com ela. É inadmissível que a senhorita Gerbois tenha se deixado abordar.

— Oh, não foi por mim. Não tive sequer a honra de conhecê-la. Foi uma de minhas amigas que se dispôs a estabelecer negociações.

— A mulher loira do automóvel, sem dúvida — interrompeu o Maître Detinan.

— Exatamente. Desde a primeira entrevista junto ao colégio, tudo estava acertado. A senhorita Gerbois e sua nova amiga viajaram, visitando a Bélgica e a Holanda, da maneira mais prazerosa e instrutiva para uma moça. Aliás, ela mesma vai lhe explicar...

Tocavam à porta do vestíbulo, três toques rápidos, depois um toque isolado, mais um toque isolado.

— É ela — disse Lupin. — Meu caro doutor, se fizer a gentileza...O advogado apressou-se em abri-la.

* * *

Duas mulheres jovens entraram. Uma se jogou nos braços do Sr. Gerbois. A outra se aproximou de Lupin. Era de estatura alta, o colo gracioso, o rosto bem pálido, e cabelos loiros, de um loiro cintilante, repartiam-se em duas partes ondulantes e desleixados. Vestindo preto, sem adereços a não ser um colar de azeviche de cinco voltas, ostentava mesmo assim uma apurada elegância.

Arsène Lupin disse-lhe algumas palavras e em seguida, cumprimentando a senhorita Gerbois:

— Peço-lhe perdão, senhorita, por todas essas adversidades, esperando, contudo, que não tenha sido muito infeliz...

— Infeliz? Teria inclusive me alegrado, não fosse pelo meu pobre pai.

— Então está tudo certo. Beije-o novamente e aproveite a oportunidade, que é excelente, para lhe falar do seu primo.

— Meu primo... O que significa isso...? Não compreendo.

— Claro que sim, a senhorita compreende... seu primo Philippe... esse rapaz cujas cartas guarda com tanto cuidado...

Suzanne corou, se desestabilizou e, como aconselhava Lupin, terminou se atirando de novo nos braços do pai.

Lupin observou os dois com um olhar comovido e disse consigo mesmo:

— Como nos sentimos recompensados ao fazer o bem! Que espetáculo comovente! Feliz o pai! Feliz a filha! E pensar que toda essa felicidade é obra sua, Lupin! Essas pessoas o abençoarão mais tarde... seu nome será transmitido aos netos que tiverem... Oh, a família...! A família...!

Foi até a janela.

— O nosso bom Ganimard continua ali...? Que prazer ele sentiria em assistir a essas encantadoras manifestações... Mas não, não está mais ali... Não há mais ninguém... nem ele, nem os outros... Diabos! A situação é grave... Não me admiraria nada se já estivessem na garagem dos táxis... na portaria talvez... ou mesmo na escada!

O Sr. Gerbois deixou escapar um gesto. Agora que a filha lhe fora devolvida, recuperava o senso da realidade. A prisão de seu adversário representava meio milhão a mais para ele. Instintivamente, deu um passo... Como por acaso, Lupin atravessou seu caminho:

— Aonde vai, Sr. Gerbois? Vai me defender contra eles? Mil vezes amável! Não se incomode. Aliás, juro que estão mais perplexos do que eu.

E continuou refletindo:

— No fundo, o que eles sabem? Que o senhor está aqui e que talvez a senhorita Gerbois também esteja, pois devem tê-la visto chegar com uma mulher desconhecida. Mas eu? Nem desconfiam. Como eu teria entrado num prédio que eles vasculharam hoje de manhã do porão ao sótão? Não, segundo todas as probabilidades, esperam me agarrar em alguma armadilha... Pobres queridos...! A menos que consideram que a mulher desconhecida foi enviada por mim e a suponham encarregada de proceder a troca... e nessa eventualidade se preparam para prendê-la quando ela sair...

Ouviu-se um toque de campainha.

Com um gesto brusco, Lupin parou o Sr. Gerbois. Com uma voz áspera, disse:

— Fique onde está, senhor. Pense em sua filha e seja razoável, senão... Quanto ao senhor, Maître Detinan, tenho sua palavra.

O Sr. Gerbois ficou enraizado no chão. O advogado não se mexeu.

Sem qualquer pressa, Lupin pegou seu chapéu. Um pouco de pó o cobria; escovou--o com a manga da camisa.

— Meu caro doutor, se um dia precisar de mim... Meus melhores votos, senhorita Suzanne, e lembranças ao Sr. Philippe.

Tirou do bolso um pesado relógio com tampa dupla de ouro.

— Sr. Gerbois, são três horas e quarenta e dois minutos; às três e quarenta e seis eu o autorizo a sair desta sala... Nem um minuto antes de três e quarenta e seis, pois não?

— Mas eles vão entrar à força — não pôde deixar de dizer o Maître Detinan.

— E a lei que o senhor esquece, meu caro doutor! Ganimard jamais ousaria invadir a residência de um cidadão francês. Teríamos tempo de jogar uma partida de bridge. Mas perdoem-me, vocês três parecem um pouco abalados, e eu não gostaria de abusar...

Depositando o relógio sobre a mesa, ele abriu a porta da sala e dirigiu-se à mulher loira:

— Podemos ir, querida amiga?

Recuou para ela passar, dirigiu um último cumprimento, à senhorita Gerbois, saiu e fechou a porta. E o ouviram dizer em voz alta, no vestíbulo:

— Bom dia, Ganimard, como vai? Minhas recomendações à Sra. Ganimard.

Um dia desses vou me convidar para almoçar... Adeus, Ganimard.

Outro toque de campainha, brusco, violento, depois toques repetidos, e ruídos de vozes no corredor do andar.

— Três e quarenta e cinco — balbuciou o Sr. Gerbois.

Após alguns segundos, resolutamente, foi até o vestíbulo. Lupin e a mulher loira não estavam mais ali.

— Pai! Não pode! Espere! — exclamou Suzanne.

— Esperar? Enlouqueceu...! Acordos com esse patife... e o meio milhão...?

Ele abriu a porta. Ganimard se precipitou.

— Essa mulher... onde ela está? E Lupin?

— Ele estava aqui... está aqui.

Ganimard deu um grito de triunfo:

— Nós o pegamos... o prédio está cercado.

Maître Detinan perguntou:

— Mas e a escada de serviço?

— A escada de serviço dá no pátio e só há uma saída, o portão principal: dez homens o vigiam.

— Mas ele não entrou pelo portão principal... não sairá por ali... — E por onde então...? — replicou Ganimard. — Através dos ares?

Ele abriu uma cortina. Um longo corredor apareceu, dando acesso à cozinha. Ganimard desceu-o correndo e constatou que a porta da escada de serviço estava fechada com uma volta dupla. Abrindo a janela, chamou um dos agentes:

— Viu alguém? — Não, senhor.

— Então — exclamou — eles estão no apartamento...! Esconderam-se num dos quartos...! É impossível terem escapado... Ah, meu pequeno Lupin, você debochou de mim, mas desta vez é a revanche!

* * *

Às sete horas da noite, Sr. Dudouis, chefe do serviço de investigação, desconfiando por não receber notícias, apresentou-se na rua Clapeyron. Fez algumas perguntas aos agentes que vigiavam o prédio, depois subiu ao apartamento do Maître Detinan, que o levou ao seu quarto. Ali, ele percebeu um homem, ou melhor, duas pernas se agitando no tapete, enquanto o dorso ao qual elas pertenciam estava enfiado nas profundezas da lareira.

— Aqui...! Aqui...! — gemia uma voz abafada.

E uma voz mais distante, que vinha lá de cima, respondia:

— Aqui...! Aqui...!

O senhor Dudouis exclamou, rindo:

— Muito bem, Ganimard, que ideia é essa de bancar o limpador de chaminés?

O inspetor surgiu das entranhas da lareira. Com o rosto enegrecido, as roupas cobertas de fuligem, os olhos brilhando de febre, estava irreconhecível. — Estou procurando — resmungou.

— Quem?

— Arsène Lupin... Arsène Lupin e sua amiga.

— Ah, é isso! Mas imagina que estão escondidos na tubulação da chaminé?

Ganimard se levantou, marcou a manga do paletó do seu superior com cinco dedos cor de carvão e disse raivosamente:

— E onde mais o senhor acha que podem estar, chefe? Forçosamente, hão de estar em algum lugar. São seres de carne e osso, como nós. Pessoas não desaparecem virando fumaça.

— Não, mas em todo caso eles fugiram.

— Por onde? Por onde? O prédio está cercado! Há agentes no telhado.

— E o prédio vizinho?

— Não há comunicação com ele.

— Os apartamentos dos outros andares?

— Conheço todos os moradores: não viram ninguém... não ouviram ninguém.

— Tem certeza de que conhece todos?

— Todos. A zeladora responde por eles. Aliás, por via das dúvidas, coloquei um homem em cada um desses apartamentos.

— Ora, temos então que agarrá-los.

— É o que eu digo, chefe, é o que eu digo. Temos que agarrá-los e assim será, porque os dois estão aqui... Não podem não estar! Fique sossegado, chefe, se não for hoje à noite, será amanhã... Dormirei aqui...!

De fato, dormiu, e no dia seguinte e no outro também. E, ao fim de três dias e três noites, não só ele não tinha descoberto o intocável Lupin e sua não menos intocável companheira, como nem sequer detectara um pequeno indício que lhe permitisse estabelecer a mais ínfima hipótese.

E eis por que sua primeira opinião não variava:

— Dado que não há nenhum rastro de sua fuga, é porque eles estão aqui.

É possível que, no fundo de sua mente, ele estivesse menos convencido. Mas ele se recusou a confessar. Não, mil vezes não: um homem e uma mulher não desaparecem no espaço como os personagens malvados dos contos de fadas! E, sem perder a coragem, continuou suas buscas e investigações, como se esperasse descobri-los escondidos em algum retiro impenetrável, fechados com tijolos nas paredes da casa.

Capítulo 2
O DIAMANTE AZUL

Na noite de 27 de março, na avenida Henri-Martin 134, no pequeno hotel que seu irmão lhe legara seis meses antes, o velho general barão d'Hautrec, embaixador em Berlim durante o Segundo Império, dormia nos fundos da casa em uma poltrona confortável, enquanto sua dama de companhia lia para ele, e sua irmã Auguste, que é freira, aquecia a cama e preparava a lamparina da noite.

Às onze horas, a religiosa, que, excepcionalmente, devia retornar aquela noite ao convento de sua comunidade e passar a noite junto à irmã superiora, avisou à dama de companhia.

— Senhorita Antoinette, terminei meus afazeres, vou embora.

— Está bem, irmã.

— Não se esqueça de que a cozinheira está de folga e a senhorita está sozinha na casa, com o criado.

— Não tema pelo senhor barão. Dormirei no quarto ao lado, como combinado, e deixarei minha porta aberta.

A religiosa partiu. Ao fim de um instante, foi Charles, o criado, que veio receber instruções. O barão tinha acordado e ele mesmo recomendou:

— As instruções de sempre, Charles: verifique se a campainha está funcionando direito no seu quarto e, ao primeiro toque, desça e corra até a casa do médico.

— Meu general sempre preocupado.

— Não me sinto bem... não me sinto nada bem. Vamos, senhorita Antoinette, continue a leitura.

— O senhor barão não vai dormir?

— Não, não, costumo me deitar tarde, e, aliás, não preciso da ajuda de ninguém para fazê-lo.

Vinte minutos depois, o velho tornava a cochilar e Antoinette se afastava na ponta dos pés. Nesse momento, Charles fechava cuidadosamente todas as janelas do andar térreo.

Na cozinha, trancou a fechadura da porta que dava para o jardim e no corredor colocou a corrente de segurança que prende a porta dupla. Então, voltou para seu quarto no terceiro andar, deitou-se e adormeceu.

Talvez uma hora tivesse se passado quando, de repente, ele pulou da cama: a campainha estava tocando. Soava por muito tempo, talvez sete ou oito segundos, e de forma regular e ininterrupta.

— Bom, resmungou Charles, terminando de acordar, um novo capricho do barão.

Vestiu sua roupa, desceu rapidamente a escada, parou em frente à porta, e, como de hábito, bateu. Nenhuma resposta. Entrou.

— Ora essa, murmurou, está sem luz... por que diabo apagaram?

Em voz baixa, chamou:

— Senhorita?

Nenhuma resposta.

— Está aqui, senhorita...? O que houve? O senhor barão está doente?

O mesmo silêncio ao seu redor, um silêncio pesado que o impressionou. Ele deu dois passos à frente: seu pé bateu em uma cadeira e, ao tocá-la, percebeu que estava tombada. E imediatamente sua mão encontrou outros objetos no chão, uma mesa, um biombo. Preocupado, ele voltou para a parede e tateou em busca do interruptor. Alcançou-o e o acionou.

No meio da sala, entre a mesa e o armário com espelho, estava o corpo de seu patrão, o barão d'Hautrec.

— O quê! É possível? — gaguejou.

Não sabia o que fazer, os olhos arregalados, contemplava a reviravolta das coisas, as cadeiras caídas, o candelabro em pedaços, o relógio que jazia no mármore da lareira, todos aqueles vestígios que revelavam a luta aterrorizante e selvagem. Um estilete de aço brilhou, não muito longe do cadáver. O estilete estava pingando sangue. No colchão pendia um lenço sujo de marcas vermelhas.

Charles gemeu de terror: o corpo ficou tenso em um esforço supremo, então se esticou... dois espasmos, e foi isso.

Ele se curvou. O sangue jorrava de uma ferida fina no pescoço, manchando o carpete. O rosto manteve uma expressão de terror.

— Ele foi assassinado!

E estremeceu ao pensar em outro provável crime: a jovem não estava dormindo no quarto ao lado? E o assassino do barão não a matou também?

Ele empurrou a porta: o quarto estava vazio. Ele conclui que Antoniette foi sequestrada, ou que saíra antes do crime.

Ele voltou ao quarto do barão e, observou que a escrivaninha não foi arrombada. Mais ainda, viu sobre a mesa, perto do molho de chaves a carteira que o barão colocava ali todas as noites, e um punhado de moedas de ouro. Charles agarrou a carteira e vasculhou os compartimentos. Um deles continha cédulas de dinheiro. Ele os contou: eram treze notas de cem francos.

Então era mais forte que ele: instintivamente pegou as treze notas, escondeu-as no paletó, desceu a escada, abriu a fechadura, soltou a corrente, fechou a porta e fugiu.

* * *

Charles era um homem honesto. Ele não havia empurrado o portão quando, atingido pelo ar fresco e o rosto revigorado pela chuva, parou. O crime apareceu para ele em sua verdadeira luz, e ele sentiu um horror repentino.

Uma carruagem estava passando. Ele chamou o motorista.

— Camarada, corra ao posto policial e traga o comissário...! Aconteceu um assassinato.

O cocheiro chicoteou seu cavalo. Mas, quando Charles quis entrar de volta, não conseguiu: ele mesmo fechara o portão e o portão não abria de fora. Era inútil tocar, uma vez que não havia ninguém em casa.

Vagou ao longo dos jardins que formavam na avenida, do lado de La Muette, uma graciosa orla de arbustos verdes e bem podados. E foi só depois de uma hora de espera que pôde finalmente contar ao comissário os detalhes do crime e lhe entregar em mãos as treze cédulas.

Nesse intervalo, chamaram um chaveiro, que com muita dificuldade, conseguiu abrir o portão do jardim e a porta do vestíbulo. O comissário subiu e, ao primeiro sinal, comentou com o criado:

— Ora, o senhor falou que o quarto estava numa grande desordem...

Charles parecia hipnotizado: todos os móveis haviam retornado ao lugar habitual! A mesinha entre as duas janelas, as cadeiras estavam de pé e o relógio, no centro da chaminé.

Os estilhaços do candelabro haviam desaparecido.

Ele articulou, boquiaberto:

— O cadáver... o senhor barão...

— Realmente — exclamou o comissário —, onde está a vítima?

Este avançou até a cama. Sob o grande lençol, que afastou, repousava o cadáver do general barão d'Hautrec, ex-embaixador da França em Berlim. O sobretudo de general, decorado com a cruz de honra, o cobria.

O rosto estava calmo. Os olhos, fechados.

O criado balbuciou:

— Alguém esteve aqui.

— Entrou por onde?

— Não sei, mas alguém esteve aqui durante minha ausência... Veja, ali no chão havia um estilete bem fino, de aço... Além disso, sobre a mesa, um lenço ensanguentado. Não há mais nada... Levaram tudo... Arrumaram tudo...

— Mas quem?

— O assassino!

— Encontramos todas as portas fechadas.

— Então ele continua aqui dentro.

— Até poderia, uma vez que o senhor não saiu da calçada.

O criado refletiu e pronunciou:
— Não me afastei do portão... no entanto...
— Vejamos, qual a última pessoa que o senhor viu com o barão?
— A senhorita Antoinette, a dama de companhia.
— O que foi feito dela?
— Na minha opinião, como sua cama nem sequer estava desfeita, deve ter aproveitado a ausência da irmã Auguste para sair também. Isso não me espanta muito, ela é bonita... jovem...
— Mas como teria saído?
— Pela porta.
— O senhor tinha colocado o trinco preso à corrente!
— Bem mais tarde. Ela deve ter deixado a casa antes disso.
— E o crime teria acontecido depois que ela se foi?
— Naturalmente.

Vasculharam de cima a baixo da casa, nos sótãos e nos porões; mas o assassino fugira. Como? Em que momento? Fora ele ou um cúmplice que julgara adequado voltar à cena do crime e eliminar tudo que pudesse comprometê-lo? Essas eram as questões que se colocavam para a polícia.

Às sete horas chegou o médico-legista, às oito, o chefe da Sûreté. Depois foi a vez do promotor público e do juiz de instrução. E havia também, agentes, inspetores, jornalistas, o sobrinho do barão d'Hautrec e outros membros da família.

Reviraram, estudaram a posição do cadáver conforme o depoimento de Charles, interrogaram a irmã Auguste. Não descobriram nada. A irmã Auguste se espantou com o sumiço de Antoinette Bréhat. Contratara a moça doze dias antes, levando em conta excelentes recomendações, e se negava a acreditar que ela tivesse abandonado o doente sob sua responsabilidade para sair.

— Ainda mais que nesse caso — reiterou o juiz de instrução — ela já deveria ter voltado. Voltamos então ao mesmo ponto: o que foi feito dela?

— Na minha opinião — disse Charles —, foi sequestrada pelo assassino.

A hipótese era plausível e batia com certos indícios. O chefe da Sûreté se pronunciou:

— Sequestrada? Pois isso me parece improvável.

— Não somente improvável — disse uma voz — mas em contradição absoluta com os fatos, com os resultados da investigação, resumindo, contra as próprias provas.

A voz era grossa, a entonação, brusca, e ninguém se surpreendeu ao reconhecer Ganimard. Só a ele, aliás, era possível aceitar aquela maneira um tanto arrogante de se expressar.

— Ora, é você, Ganimard? — exclamou o Sr. Dudouis. — Não o tinha visto.

— Estou aqui há duas horas.

— Interessa-se então por outra coisa que não seja o bilhete 514, série 23, o caso da rua Clapeyron, a mulher loira e Arsène Lupin?

— Ah, ah! — exclamou o velho inspetor, com desdém. — Eu não afirmaria que Lupin estivesse alheio a esse caso... Mas deixemos de lado, até segunda ordem, a história do bilhete de loteria, e vejamos do que se trata.

Ganimard não é um desses policiais de grande importância, cujos métodos terão discípulos e cujo nome permanecerá nos anais judiciários. Faltam-lhe a genialidade que iluminam os Dupin, os Lecoq e os Herlock Sholmes. Sim, possui excelentes qualidades de observação, sagacidade, perseverança e, até mesmo, intuição. Mas o que o distingue é de fato a independência no trabalho. Nada, a não ser talvez a fascinação que Arsène Lupin exerce sobre ele, nada o perturba nem influencia.

Seja como for, seu papel, naquela manhã, não careceu de brilho e sua colaboração foi apreciada pelo juiz

— Em primeiro lugar — disse Ganimard —, eu pediria ao Sr. Charles que esclarecesse bem este ponto: todos os objetos que viu da primeira vez, derrubados ou deslocados, estavam, num segundo momento, exatamente no lugar de sempre?

— Exatamente.

— Portanto, é óbvio que só puderam ter sido recolocados em seus lugares por uma pessoa que conhecesse o lugar de cada um desses objetos.

A observação impressionou o público. Ganimard prosseguiu:

— Outra pergunta, Sr. Charles... O senhor foi despertado por uma campainha... A seu ver, quem o chamava?

— O senhor barão, óbvio.

— Admitamos que sim, mas em que momento ele teria tocado?

— Após a luta... enquanto agonizava.

— Impossível, uma vez que o senhor o encontrou inanimado, sem sentidos, a mais de quatro metros do botão de chamada.

— Então ele tocou durante a luta.

— Impossível, uma vez que a campainha, o senhor disse, foi regular, ininterrupta, e durou sete ou oito segundos. Acha que o agressor o teria deixado tocar assim?

— Então foi antes, ao ser atacado.

— Impossível, pois o senhor disse que, entre o sinal da campainha e o instante em que o senhor adentrou o quarto, transcorreram no máximo três minutos. Logo, se o barão tivesse tocado antes, teria sido preciso que a luta, o assassinato, a agonia e a fuga houvessem se desenrolado nesse curto lapso de três minutos. Repito, isso é impossível.

— Mesmo assim, disse o juiz de instrução —, alguém tocou. Se não foi o barão, quem foi?

— O assassino.

— Com que propósito?

— Ignoro o propósito. Mas pelo menos o fato de ter tocado nos prova que devia conhecer a campainha e sua comunicação com o quarto de um criado. Ora, quem podia conhecer esse detalhe a não ser uma pessoa da própria casa?

O círculo de suposições estava diminuindo. Em algumas frases rápidas, claras e lógicas, Ganimard colocou a questão em seu contexto, e o pensamento do velho inspetor aparecendo claramente, parecia bastante natural que o juiz de instrução concluísse:

— Resumindo, você suspeita de Antoinette Bréhat.
— Não suspeito, acuso-a.
— Acusa-a de ser a cúmplice?
— Acuso-a de ter matado o general barão d'Hautrec.
— Ora, vamos! E qual é a prova...?
— Esse tufo de cabelo que descobri na mão direita da vítima, em sua própria carne, onde a ponta de suas unhas o arrancou.

Mostrou os fios de cabelo; eram de um loiro cintilante, luminoso como fios de ouro, e Charles murmurou:

— É de fato o cabelo da senhorita Antoinette. Não há como duvidar.

E acrescentou:

— E depois... Acho que o estilete... o que não vi mais da segunda vez... lhe pertencia... Ela usava para cortar as páginas dos livros.

O silêncio foi longo. Cometido por uma mulher, o horror do crime parecia aumentar. O juiz de instrução ponderou:

— Vamos supor, até maiores esclarecimentos, que o barão tenha sido morto por Antoinette Bréhat. Ainda faltaria explicar como ela pôde sair depois do crime, para voltar após a partida do Sr. Charles e ainda sair novamente antes da chegada do comissário. Tem alguma opinião a respeito, senhor Ganimard?

— Nenhuma.
— Então?

Ganimard pareceu confuso. Por fim, pronunciou-se, com um esforço visível:

— Tudo o que posso dizer é que encontro aqui o mesmo processo que no caso do bilhete 514-23, o mesmo fenômeno que se poderia chamar de capacidade de desaparecer. Antoinette Bréhat aparece e desaparece nessa casa, tão misteriosamente quanto Arsène Lupin entrou na casa do Maître Detinan e fugiu com a mulher loira.

— O que significa...?
— O que significa que não posso me abster de pensar nessas duas coincidências, no mínimo bizarras: Antoinette foi contratada pela irmã Auguste há doze dias, isto é, no dia seguinte ao dia em que a mulher loira me escapava pelos dedos. Em segundo lugar, o cabelo da mulher loira tem o mesmo brilho metálico com reflexos dourados, que encontramos aqui.

— De modo que, na sua opinião, Antoinette Bréhat... Não é outra senão a mulher loira.
— E idealizou os dois casos?
— Creio que sim.

Houve uma gargalhada. Era o chefe da Sûreté, divertindo-se.

— Lupin! Sempre Lupin! Lupin está em tudo, Lupin está em toda parte!
— Ele está onde ele está! — repreendeu Ganimard, irritado.

— Mesmo assim, ele precisa ter razões para estar em algum lugar — observou o senhor Dudouis —, e, no caso, as razões me parecem confusas. A escrivaninha não foi arrombada, nem a carteira, roubada. Foi deixado, inclusive, ouro na mesa.

— Sim — exclamou Ganimard —, mas e o famoso diamante?

— Que diamante?

— O diamante azul! O célebre diamante que fazia parte da coroa real da França e que foi dado pelo duque d'A... a Léonide L... e, na morte de Léonide L..., comprado pelo barão d'Hautrec em memória da brilhante atriz que ele amara. É uma dessas lembranças que um velho parisiense como eu nunca esquece.

— É evidente — disse o juiz de instrução — que, se o diamante azul não for encontrado, tudo se explica. Mas... onde procurar?

— No dedo do senhor barão — respondeu Charles. — O diamante azul não saía de sua mão esquerda.

— Eu observei essa mão — afirmou Ganimard, aproximando-se da vítima —, e, como pode certificar-se, nela não há senão um simples anel de ouro.

— Olhe para a palma da mão! — disse o criado.

Ganimard desdobrou os dedos contraídos. O engaste estava voltado para dentro e, no coração desse engaste, cintilava o diamante azul.

— Diabos — resmungou Ganimard, absolutamente perplexo —, não compreendo mais nada.

— Agora você desiste de suspeitar do pobre Lupin? — zombou Dudouis.

Ganimard deu-se um tempo, meditou e rebateu num tom solene:

— É justamente quando não compreendo mais nada que suspeito de Arsène Lupin.

As primeiras constatações das investigações foram vagas e incoerentes, às quais a continuação dos trabalhos não trouxe lógica nem certeza. As idas e vindas de Antoinette Bréhat permaneceram completamente inexplicáveis, como as da mulher loira, e não se descobriu quem era a misteriosa criatura de cabelos dourados que matara o barão d'Hautrec sem tirar de seu dedo o extraordinário diamante da coroa real da França.

A curiosidade por ela inspirada conferia ao crime um caráter de grande provocação, o que arrebatava a opinião pública.

Os herdeiros do barão d'Hautrec não podiam senão se beneficiar de tal publicidade. Promoveram na avenida Henri-Martin, na própria mansão, uma exposição dos móveis e objetos a ser vendidos no leiloeiro Drouot. Móveis modernos e de mau gosto, objetos sem valor artístico... Mas, no centro da sala, sobre um pedestal forrado com veludo grená, protegido por uma redoma de vidro e vigiado por dois agentes, cintilava o anel com o diamante azul.

Diamante extraordinário, enorme, de pureza incomparável e de um azul indefinível, azul que enxergamos em superfícies alvas e radiantes. Todos se admiravam, se extasiavam... e olhavam com horror o quarto da vítima, o lugar onde caíra o cadáver, o piso livre do tapete ensanguentado, e as paredes através das quais passara a criminosa. Verificavam se o mármore da lareira não podia ser deslocado, se tal moldura do espelho não escondia uma estrutura giratória. Imaginavam-se buracos escavados, passagens de um túnel, comunicações com os esgotos, com as catacumbas...

A venda do diamante azul ocorreu no Hotel Drouot. A multidão estava sufocando e a febre dos leilões aumentou a loucura.

Lá estava o All-Paris das grandes ocasiões, todos aqueles que compram e todos aqueles que querem acreditar que podem comprar, bolsistas, artistas, senhoras de todos os mundos, dois ministros, um tenor italiano, um rei no exílio que, para consolidar o seu crédito, fez lances de até cem mil francos. Cem mil francos! Ele podia pagar sem se comprometer. O tenor italiano arriscou cento e cinquenta mil, um membro do Comédie-Française, cento e setenta e cinco.

Quando se chegou a duzentos mil francos, os amadores desistiram. Em duzentos e cinquenta mil, só restavam dois: Herschmann, o célebre financista, rei das minas de ouro, e a condessa De Crozon, a milionária americana, dona de uma famosa coleção de diamantes e pedras preciosas.

— Duzentos e sessenta mil... duzentos e setenta mil... setenta e cinco... oitenta... — proferia o comissário, interrogando alternadamente com o olhar os dois competidores... — Duzentos e oitenta mil para a senhora... Ninguém disse uma palavra?

— Trezentos mil — murmurou Herschmann.

Silêncio. Os olhos concentraram-se na condessa De Crozon. De pé, sorridente, mas exibindo uma palidez que denotava perturbação, ela se amparava no encosto da cadeira à sua frente. Na realidade, ela sabia, e todos os presentes também sabiam, como o duelo terminaria: logicamente, no fim a vitória caberia ao financista, cujos caprichos apoiavam-se em uma fortuna de mais de meio bilhão. Mesmo assim, ela pronunciou:

— Trezentos e cinco mil.

Outro silêncio. Voltaram-se para o rei das minas, na expectativa de um inevitável lance maior. Era certo que ele daria outro lance, forte, brutal, final.

Isso não aconteceu. Herschmann permaneceu impassível, os olhos fixos em uma folha de papel na mão direita, enquanto a outra guardava os pedaços de um envelope rasgado.

— Trezentos e cinco mil — repetia o comissário. — Dou-lhe uma... Dou-lhe duas... Ainda é tempo... Ninguém diz nada? Repito: dou-lhe uma... dou-lhe duas...

Herschmann não se mexeu. Um último silêncio. Foi batido o martelo.

— Quatrocentos mil — bradou Herschmann, sobressaltando-se, como se o som do martelo o despertasse do torpor.

Tarde demais. A decisão era irrevogável.

Espremeram-se em volta dele. O que acontecera? Por que não falara antes? O financista pôs-se a rir.

— O que aconteceu? Não faço ideia, juro. Tive um minuto de distração.

— É possível?

— Sim, uma carta que recebi.

— E essa carta bastou...

— Para me perturbar? Sim, naquela hora.

Ganimard estava presente. Assistira ao leilão do anel. Aproximou-se de um dos funcionários da casa de leilões.

— Foi o senhor, sem dúvida, que entregou uma carta ao Sr. Herschmann...
— Sim.
— Da parte de quem?
— De uma mulher.
— Onde está ela?
— Onde...? Veja, senhor, ali... aquela senhora com um véu sobre o rosto.
— Aquela que está indo embora?
— Sim.

Ganimard correu em direção à porta e viu a mulher, que descia a escada. Quando ele alcançou o hall de entrada, um fluxo de gente o reteve. Ao chegar lá fora, não a encontrou mais.

Voltou à sala do leilão, abordou Herschmann, se apresentou e o interrogou sobre a carta. Herschmann entregou-a a ele. Estava escrita a lápis e às pressas, e com uma letra que o financista desconhecia, estas palavras:

"*O diamante azul traz infortúnio. Lembre-se do barão d'Hautrec.*"

As tribulações do diamante azul não haviam terminado e, já conhecido pelo assassinato do barão d'Hautrec e pelo incidente no Hotel Drouot, ele alcançava, seis meses mais tarde, ainda maior celebridade. Com efeito, no verão seguinte roubavam da condessa De Crozon a valiosa joia que ela tivera tanta dificuldade para conquistar.

Resumamos esse curioso caso cujas dramáticas peripécias nos fascinaram a todos e sobre o qual me é permitido, enfim, lançar alguma luz.

Na noite de 10 de agosto, os convidados do senhor e da senhora De Crozon estavam reunidos no salão do deslumbrante castelo que domina a baía do rio Somme. Tocava-se música. A condessa pusera-se ao piano e colocara, sobre um pequeno móvel, perto do instrumento, suas joias, entre as quais o anel do barão d'Hautrec.

Depois de uma hora, o conde se retirou, bem como seus dois primos, os d'Andelle, e a Sra. De Réal, uma amiga íntima da condessa De Crozon, ficou sozinha com o Sr. Bleichen, cônsul austríaco, e sua mulher.

Eles conversaram, depois a condessa apagou um grande abajur instalado sobre a mesa do salão. Simultaneamente, o Sr. Bleichen apagava as duas lâmpadas do piano. Houve um instante de escuridão, um pouco de perplexidade, até o cônsul acender uma vela e os três seguirem para seus aposentos. Assim que chegou ao seu, a condessa lembrou de suas joias e ordenou à camareira que fosse buscá-las. Esta voltou e as depositou sobre a lareira, sem que sua patroa as examinasse. No dia seguinte, a Sra. De Crozon constatava que faltava um anel, o anel do diamante azul.

Comunicou o fato ao marido. A conclusão de ambos foi imediata: a camareira estando acima de qualquer suspeita, o culpado só podia ser o Sr. Bleichen.

O conde avisou o comissário central de Amiens, que abriu um inquérito e, discretamente, organizou uma grande vigilância, para impedir qualquer tentativa de venda do anel da parte do cônsul. Agentes cercavam o castelo dia e noite.

Após duas semanas transcorrerem sem qualquer incidente, o Sr. Bleichen anuncia sua partida. Nesse dia, uma queixa é registrada contra ele. O comissário intervém oficialmente, ordenando a revista de suas bagagens. Em uma bolsinha, cuja chave anda sempre com o cônsul, encontram um frasco de pasta de dente e o anel! A Sra. Bleichen desmaiou. Seu marido foi preso.

Lembramos o sistema de defesa adotado pelo acusado. Ele não consegue explicar a presença do anel, dizia, senão por uma vingança do Sr. De Crozon:

— O conde é bruto e faz sua mulher infeliz. Tive uma longa conversa com ela e aconselhei-a se divorciar. Ao saber, o conde se vingou. Pegou o anel e colocou no meio das minhas coisas, na bolsinha que deixei no lavabo.

O conde e a condessa mantiveram energicamente sua queixa. Entre a explicação que davam e a do cônsul, ambas igualmente plausíveis, igualmente prováveis, o público só tinha que escolher. Nenhum fato novo fez pender um dos pratos da balança. Um mês de investigação e especulações não trouxe nenhuma de certeza.

Aborrecidos com toda aquela confusão, incapazes de produzir a prova evidente de culpa que teria justificado sua acusação, o senhor e a senhora De Crozon pediram que lhes enviassem de Paris um agente da Sûreté capaz de desvendar as pistas. Enviaram Ganimard.

Durante quatro dias, o velho inspetor investigou, vasculhou, bisbilhotou, teve longas conversas com a empregada, o chofer, os jardineiros, os empregados da agência de correio, visitou os aposentos ocupados, na ocasião do roubo, pelo casal Bleichen, os primos d'Andelle e a Sra. De Réal. Então, uma manhã, desapareceu sem se despedir. Uma semana depois, receberam este telegrama:

"Por favor, venha amanhã, sexta-feira, às cinco da tarde, à casa de chá japonesa, rue Boissy-d'Anglas. Ganimard".

Exatamente às cinco horas de sexta-feira, o automóvel deles parou em frente ao número 9 da rue Boissy-d'Anglas. Sem uma palavra de explicação, o velho inspetor que os esperava na calçada conduziu-os ao primeiro andar da casa de chá japonesa.

Eles encontraram duas pessoas em uma das salas que Ganimard os apresentou:

— Sr. Gerbois, professor do Liceu de Versailles, de quem, vocês se lembram, Arsène Lupin roubou meio milhão. Sr. Léonce d'Hautrec, sobrinho e herdeiro do barão d'Hautrec.

Os quatro tomaram seus lugares. Alguns minutos depois, chegou um quinto. Era o chefe da Sûreté.

— O que há então, Ganimard? Recebi seu recado. É grave?

— Gravíssimo, chefe. Dentro de uma hora, as últimas aventuras das quais participei terão seu desfecho aqui. Pareceu-me que sua presença era indispensável.

— Assim como a presença de Dieuzy e Folenfant, que vi lá embaixo, junto à porta?
— Sim, chefe.
— E o que é? Vamos prender alguém? Fale, Ganimard, somos todos ouvidos.

Ganimard hesitou alguns instantes, depois anunciou:

— Antes de mais nada, afirmo que o Sr. Bleichen não tem nada a ver com o roubo do anel.

— Oh! — exclamou o Sr. Dudouis. — Dizer isso é muito simples e bem sério.

E o conde indagou:

— É a essa... descoberta de que seus esforços são limitados?

— Não, senhor. Dois dias após o roubo, os acasos de uma excursão de automóvel levaram três de seus convidados à aldeia de Crécy. Enquanto duas dessas pessoas iam visitar o famoso campo de batalha, a terceira dirigiu-se às pressas à agência de correio e expediu uma embalagem lacrada segundo os regulamentos, e registrada por um valor de cem francos.

O Sr. De Crozon perguntou:

— E o que tem isso demais?

— Talvez lhe pareça demais que essa pessoa, em vez de fornecer o verdadeiro nome, tenha feito a remessa sob o nome de Rousseau, e que o destinatário, um tal Sr. Beloux, residente em Paris, tenha se mudado justamente na noite do dia em que recebeu a caixa, isto é, o anel.

— Seria talvez — interrogou o conde — um de meus primos d'Andelle?

— Não se trata desses senhores.

— Então da Sra. De Réal?

— Sim.

A condessa exclamou, espantada:

— Está acusando minha amiga, a Sra. De Réal?

— Uma pergunta simples, senhora — respondeu Ganimard. — A Sra. De Réal estava presente no leilão do diamante azul?

— Sim, mas a distância. Não sentamos juntas.

— Ela a incentivara a comprar o anel?

A condessa puxou pela memória.

— Sim... com efeito... Acho inclusive que foi ela a primeira a me falar sobre ele.

— Vou anotar sua resposta, senhora. Está claro que foi a Sra. De Réal a primeira a lhe falar desse anel e que a incentivou a comprá-lo.

— Porém minha amiga é incapaz...

— Perdão, senhora, a Sra. De Réal é apenas sua amiga ocasional, e não sua amiga íntima, como os jornais noticiaram, o que afastou dela as suspeitas. A senhora a conheceu no último inverno. Ora, sinto-me em condições de lhe confirmar que tudo que a Sra. De Réal lhe contou, seu passado, suas relações, é absolutamente falso, que a Sra. Blanche De Réal não existia antes de tê-la conhecido e que não existe no presente momento.

— E daí?

— E daí? — indagou Ganimard.

— Sim, toda essa história é muito curiosa, mas em que se aplica ao nosso caso? Supondo que a Sra. De Réal tenha se apoderado do anel, o que não está em absoluto provado, por que esconderia na bolsinha do Sr. Bleichen?

Que diabos! Quem se dá ao trabalho de roubar o diamante azul deve querer ficar com ele. O que tem a responder a isso?

— Eu, nada, mas a Sra. De Réal responderá.

— Ela então existe?

— Existe... sem existir. Em poucas palavras, aqui está. Há três dias, ao ler o jornal que leio todos os dias, vi no topo da lista dos estrangeiros, em Trouville, "Hotel Beaurivage: Sra. De Réal, etc." Você vai entender que na mesma noite eu estava em Trouville e questionava o diretor de Beaurivage. Segundo a descrição e algumas pistas que recolhi, esta Sra. De Réal era a pessoa que procurava, mas tinha saído do hotel deixando como seu endereço em Paris, 3, rue du Colisée. Anteontem fui a este endereço e soube que não havia Sra. De Réal, mas simplesmente uma Sra. Réal, que vivia no segundo andar, que trabalhava como intermediária de diamantes, e estava frequentemente ausente. No dia anterior, ela acabara de chegar de uma viagem. Ontem eu toquei na porta dela e oferecí à Sra. Réal, sob nome falso, meus serviços de intermediário com pessoas em condições de comprar pedras valiosas. Hoje temos um compromisso aqui para um primeiro negócio.

— Como? O senhor está esperando por isso?

— Às cinco e meia.

— E tem certeza...?

— De que é a Sra. De Réal do castelo De Crozon? Tenho provas irrefutáveis. Mas... escutem... o sinal de Folenfant...

Um assobio ressoara. Ganimard se levantou precipitadamente.

— Não há tempo a perder. Sr. e Sra. De Crozon, queiram se dirigir ao salão ao lado. O senhor também, Sr. d'Hautrec... e o senhor também, Sr. Gerbois... A porta permanecerá aberta e, ao primeiro sinal, pedirei que intervenham. Fique, chefe, por favor.

— E se vierem outras pessoas? — perguntou o Sr. Dudouis.

— Não. Esse estabelecimento é novo e o dono, que é amigo meu, não deixará ninguém subir... exceto a mulher loira.

— A mulher loira? O que está dizendo?

— A loira em pessoa, chefe, a cúmplice e amiga de Arsène Lupin, a misteriosa mulher loira, contra quem tenho provas irrefutáveis, mas contra quem quero, além disso, e na frente do senhor, reunir os testemunhos de todos que ela roubou.

E Ganimard se inclinou na janela.

— Está se aproximando... entrou... não tem mais como escapar: Folenfant e Dieuzy vigiam a porta... A loira é nossa, chefe!

Quase imediatamente, uma mulher parou na soleira da porta. Era alta, esguia, o rosto muito pálido e o cabelo de um dourado intenso.

Tal emoção sufocou Ganimard que permaneceu em silêncio, incapaz de pronunciar uma única palavra. Ela estava lá, na frente dele, à sua disposição!

Que vitória sobre Arsène Lupin! E que vingança! E ao mesmo tempo essa vitória parecia-lhe conquistada com tanta facilidade que se perguntou se a mulher loira não cairia em suas mãos graças a alguns daqueles milagres com que Lupin estava acostumado.

Ela esperou, no entanto, surpresa com o silêncio, e olhou em volta sem esconder sua preocupação.

"Ela vai embora! Ela vai desaparecer!", pensou Ganimard, assustado.

De repente, ele se interpôs entre ela e a porta. Ela se virou e quis sair.

— Não, não, ele disse, por que você está indo embora?

— Mas de qualquer maneira, senhor, eu não entendo seu comportamento. Deixe-me...

— Não há motivo para você ir embora, senhora, muito pelo contrário, precisa ficar.

— Contudo...

— Você não vai sair.

Muito pálida, ela afundou em uma cadeira e gaguejou:

— O que você quer?

Ganimard foi o vencedor. Ele estava segurando a loira. Mestre de si mesmo, ele articulou:

— Apresento-vos este amigo, de quem vos falei, e que estaria ansioso por comprar joias... e principalmente diamantes. Você conseguiu o que você me prometeu?

— Não... não... não sei... não me lembro.

— Mas tente lembrar... alguém que você conhece lhe conseguiu um diamante colorido... "algo parecido com o diamante azul", eu disse rindo, e você me respondeu: "Precisamente, posso negociar." Você se lembra agora?

Ela ficou em silêncio. Uma pequena bolsa que ela segurava na mão caiu. Ela a pegou rapidamente. Seus dedos tremiam um pouco.

— Vamos, disse Ganimard, vejo que você não confia em nós, Sra. De Réal, vou dar-lhe um bom exemplo e mostrar-lhe o que tenho.

Ele tirou um pedaço de papel de sua carteira, desdobrou-o e estendeu uma mecha de cabelo.

— Primeiro, aqui está um cabelo de Antoinette Bréhat, arrancado pelo barão e recolhido nas mãos do falecido. A senhorita Gerbois reconheceu a cor do cabelo da senhora loira do sequestro, a mesma cor que a sua, aliás... exatamente da mesma cor...

A Sra. De Réal o observou, como se realmente não entendesse o significado de suas palavras. Ele continuou:

— E agora aqui estão dois frascos de perfume, sem rótulo, é verdade, e vazios, mas ainda suficientemente impregnados do seu perfume, para que senhorita Gerbois pudesse, esta manhã, distinguir o perfume desta senhora loira que foi sua companheira de viagem por duas semanas. No entanto, um desses frascos veio do quarto que Sra. De Réal ocupava no Château De Crozon, e o outro do quarto que você ocupava no Hotel Beaurivage.

— O que me diz!?... A loira... o Château De Crozon...

Sem responder, o inspetor alinhou quatro folhas de papel sobre a mesa.

— Finalmente! Aqui está, nestas quatro folhas, um espécime da caligrafia de Antoinette Bréhat, outra da senhora que escreveu ao Barão Herschmann durante a venda do diamante azul, outra da Sra. De Réal, durante sua estadia em Crozon, e a quarta, da senhora mesmo... seu nome e endereço, dado por você, ao porteiro do hotel Beaurivage em Trouville. Agora compare as quatro caligrafias. Elas são idênticas.

— Mas o senhor está louco! Completamente louco! O que quer dizer com tudo isso?

— Quero dizer, senhora — disse Ganimard, com grande agitação — que a mulher loira, amiga e cúmplice de Arsène Lupin, não é outra senão a senhora.

Ele empurrou a porta da sala ao lado, correu até o Sr. Gerbois, agarrou-o pelos ombros e puxou-o até a Sra. De Réal:

— Sr. Gerbois, reconhece a pessoa que raptou sua filha e que o senhor viu na casa do Maître Detinan?

— Não.

Houve uma espécie de comoção, cujo impacto foi recebido por todos os presentes. Ganimard vacilou.

— Não...? Será possível... vejamos, reflita.

— Já refleti... a senhora é loira como aquela mulher loira... pálida como ela... mas não se parece em nada com ela.

— Não posso acreditar... um engano desses é inadmissível... Sr. d'Hautrec, reconhece Antoinette Bréhat?

— Vi Antoinette Bréhat na casa do meu tio... Não é ela.

— E madame tampouco é a Sra. De Réal — afirmou o conde De Crozon.

Foi o golpe de misericórdia. Ganimard, atordoado, não se mexeu mais, permanecendo cabisbaixo. De todas as suas conjeturas, não restava nenhuma.

O Sr. Dudouis se levantou.

— Perdoe-nos, senhora, houve uma confusão lamentável e peço que a esqueça. Só o que não me parece justificado é sua perturbação... sua atitude bizarra desde que está aqui.

— Meu Deus, senhor, eu estava com medo... Há mais de cem mil francos em joias na minha bolsa, e as atitudes do seu amigo não me pareciam nada tranquilizadoras.

— E suas ausências constantes...?

— São exigências de minha profissão, concorda?

O Sr. Dudouis não soube o que responder. Voltou-se para o seu subordinado:

— O senhor colheu suas informações com uma leviandade deplorável, Ganimard, e ainda há pouco se comportou de maneira deselegante com a senhora. Venha se explicar no meu gabinete.

O interrogatório terminara. O chefe da Sûreté se preparava para partir quando aconteceu um fato realmente desconcertante. A Sra. De Réal se aproximou do inspetor e lhe disse:

— Ouvi que se chama Sr. Ganimard... Estou enganada?
— Não.
— Nesse caso, esta carta deve ser para o senhor, recebi hoje de manhã, com o destinatário que pode ler: "Senhor Justin Ganimard, aos cuidados da Sra. Réal."
— Pensei que era uma brincadeira, uma vez que eu não o conhecia por esse nome, mas sem dúvida o mensageiro desconhecido previu nosso encontro.

Por uma intuição singular, Justin Ganimard esteve prestes a agarrar a carta e destruí-la. Não ousou fazê-lo, estando na presença de seu superior, e abriu o envelope. A carta continha estas palavras, que ele articulou com uma voz quase imperceptível:

"Era uma vez uma mulher loira, um Lupin e um Ganimard. Mas o perverso Ganimard queria fazer mal à bonita mulher loira, e o bom Lupin não queria isso. Então o bom Lupin, desejoso de que a mulher loira entrasse na intimidade da condessa De Crozon, fez com que ela assumisse o nome de Sra. De Réal, que é idêntico — ou quase isso — ao de uma honesta comerciante cujos cabelos são dourados e o rosto pálido. E o bom Lupin pensou consigo: 'Se um dia o perverso Ganimard estiver na pista da mulher loira, quão útil será fazê-lo desviar para a pista da honesta comerciante!' Sábia precaução. Uma nota enviada ao jornal do perverso Ganimard, um frasco de perfume esquecido propositadamente pela verdadeira mulher loira no hotel Beaurivage, o nome e o endereço da Sra. De Réal fornecidos por essa verdadeira mulher loira na recepção do hotel, e o golpe está dado. O que me diz, Ganimard? Quis lhe contar a aventura no detalhe, sabendo que seu espírito seria o primeiro a se divertir. De fato, ela é empolgante e confesso que de minha parte achei-a muito engraçada.

Portanto, obrigado, caro amigo, e minhas lembranças ao Sr. Dudouis.

Arsène Lupin"

— Mas ele controla tudo! — murmurou Ganimard, que nem cogitava rir. — Sabe de coisas que eu não disse a ninguém. Como podia saber que lhe pediria para vir, chefe? Como podia saber da descoberta do primeiro frasco...? Como podia saber...?

O Sr. Dudouis teve pena dele.

— Vamos, Ganimard, console-se, tentaremos fazer melhor da próxima vez.

E o chefe da Sûreté se afastou, na companhia da Sra. Réal.

Dez minutos se passaram. Ganimard lia e relia a carta de Lupin. Num canto, o Sr. e a Sra. De Crozon, o Sr. d'Hautrec e o Sr. Gerbois conversavam animadamente. Por fim, o conde foi até o inspetor e lhe disse:

— De tudo isso resulta, caro senhor, que não saímos do lugar.

— Discordo. Minha investigação confirmou que a mulher loira é a heroína indiscutível dessas aventuras, dirigida por Lupin. É um grande passo.

— E isso é inútil. O problema talvez seja ainda mais complicado. A loira mata para roubar o diamante azul e não o rouba. Ela o rouba, e é para se livrar dele em benefício de outrem.

— Não posso fazer nada.

— Sim, mas talvez alguém pudesse...
— O que você quer dizer?
O conde hesitou, mas a condessa falou claramente:
— Existe um homem, só depois de você, na minha opinião, que seria capaz de lutar contra Lupin e reduzi-lo à misericórdia. Sr. Ganimard, seria desagradável se pedíssemos ajuda a Herlock Sholmes?
Ele foi pego de surpresa.
— Claro que não... só... não entendo bem...
— Aqui. Todos esses mistérios me incomodam. Eu creio que Sr. Gerbois e Sr. d'Hautrec têm a mesma opinião e concordam em nos dirigir ao famoso detetive inglês.
— Tem razão, senhora, tem razão. O velho Ganimard não é forte o suficiente para lutar contra Arsène Lupin. Herlock Sholmes terá sucesso? Espero que sim, porque tenho por ele a maior admiração... porém... é improvável... — observou Sr. Dudouis.
— É improvável que ele tenha sucesso?
— Essa é a minha opinião. Considero que um duelo entre Herlock Sholmes e Arsène Lupin é algo combinado com antecedência. O inglês vai ser derrotado.
— Em qualquer caso, ele pode contar com você?
— Completamente, senhora. Minha assistência é garantida a ele sem reservas.
— Você sabe o endereço dele?
— Sim, Barker Street, 219.
Naquela mesma noite, o Sr. e a Sra. De Crozon retiraram a queixa contra o Cônsul Bleichen e uma carta coletiva foi enviada a Herlock Sholmes.

Capítulo 3
HERLOCK SHOLMES E O INÍCIO DO DUELO

— O que esses senhores querem?
— O que você quiser, respondeu Arsène Lupin, como um homem que não se interessava por esses detalhes da culinária... pode escolher, mas nem carne nem álcool.
O garçom foi embora, indiferente.
Eu perguntei:
— Como, ainda é vegetariano?
— Cada vez mais, respondeu Lupin.
— Por gosto? Por crença? Por hábito?

— Por higiene.
— E nunca abre exceção?
— Quando eu circulo socialmente... para não me destacar.

Estávamos jantando perto da Gare du Nord, nos fundos de um pequeno restaurante a convite de Arsène Lupin. Periodicamente Arsène, marcava um encontro por telegrama, em algum canto de Paris. Ele sempre se mostra com uma vivacidade inesgotável, simples e bem-humorado, e sempre tem uma anedota imprevista, uma lembrança, a história de uma aventura que eu não conhecia.

Naquela noite, ele me pareceu ainda mais exuberante do que de costume. Ele ria e conversava com um entusiasmo singular, e aquela ironia que lhe é especial, sem amargura, leve e espontânea. Foi um prazer vê-lo assim e não pude deixar de expressar minha satisfação a ele.

— Têm dias em que tudo me parece maravilhoso, em que a vida está em mim como um tesouro infinito que nunca vou conseguir esgotar. E, no entanto, Deus sabe que vivo sem economizar!

— Exagerando muitas vezes.

— O tesouro é infinito, eu lhe digo! Posso gastar e esbanjar. Posso lançar minha força e minha juventude aos quatro ventos. É o espaço que reservo para forças mais vivas e mais atuais... e então, realmente, minha vida é tão maravilhosa... Bastaria querer, transformar da noite para o dia, sei lá... em um orador, um gerente de fábrica, um político... bem, eu juro para você, a ideia nunca me ocorreria! Arsène Lupin, eu sou; Arsène Lupin, e assim permanecerei. Procuro em vão na história um destino comparável ao meu, mais realizado, mais intenso... Napoleão? Sim, talvez... Napoleão no final de sua carreira imperial, durante a campanha da França, quando a Europa o esmagava, e ele se perguntava em cada batalha se não seria a última.

Ele estava falando sério? Ele estava brincando? O tom de sua voz se aqueceu e ele continuou.

— Está tudo aí, percebe o perigo! A sensação ininterrupta de perigo! Respire, olhe ao seu redor, soprando, rugindo, observando, se aproximando... e no meio da tempestade, mantenha a calma... sem vacilar!... Do contrário, você está perdido... só há uma sensação que vale a pena, a do piloto de uma corrida! Mas a corrida dura uma manhã, e minha corrida dura a vida toda!

— Que lirismo! E você vai me fazer acreditar que não tem um motivo especial para se emocionar!

Ele sorriu.

— Vamos, disse ele, você é um ótimo psicólogo. Na verdade, há algo mais.

Ele se serviu de um grande copo de água fria, e disse:

— Você leu o *Le Temps* hoje?

— Não...

— Herlock Sholmes deve ter cruzado o canal esta tarde e chegou por volta das seis horas.

— Diabo! E por quê?

— Uma pequena viagem que lhe foi oferecida pelos Crozons, pelo sobrinho de Hautrec e pelos Gerbois. Eles se conheceram na Gare du Nord e, de lá, juntaram-se à Ganimard. Agora os seis estão reunidos.

Nunca, apesar da enorme curiosidade que ele me inspira, me permito questionar Arsène Lupin sobre os atos de sua vida privada, antes que ele mesmo me fale sobre isso. Há aqui, da minha parte, uma questão de reserva que não abandonarei. Aliás, naquela época seu nome ainda não havia sido citado, ao menos oficialmente, em relação ao diamante azul. Então eu esperei. Ele disse:

— *Le Temps* publicou também uma entrevista com Ganimard, segundo a qual uma certa loira que seria minha amiga teria assassinado o Barão d'Hautrec e tentado roubar o famoso anel da Sra. De Crozon. E, claro, ele me acusa de ser o instigador desses episódios.

Senti um leve arrepio. Era verdade? Devia acreditar que o hábito do roubo, seu estilo de vida, a própria lógica dos acontecimentos, levaram aquele homem ao crime? Eu o observei. Ele parecia tão calmo, seus olhos estavam olhando para mim com tanta franqueza!

Examinei suas mãos: tinham uma delicadeza infinita, mãos realmente inofensivas, mãos de artista...

— Ganimard é um alucinado, sussurrei.

Ele protestou:

— Não, não, Ganimard tem finesse... às vezes até sagacidade.

— Sagacidade?

— Por exemplo, essa entrevista é um golpe de mestre. Primeiro anuncia a chegada de seu rival inglês, para me advertir e tornar a tarefa do outro mais difícil. Depois, revela o ponto exato até onde levou o caso, para que Sholmes só se beneficie das próprias descobertas. É uma boa tática.

— Seja como for, eis você com dois adversários nos braços, e que adversários!

— Oh! Um não conta.

— E o outro?

— Sholmes? Oh! Confesso que esse é dos bons. Mas é justamente o que me apaixona e a razão de você me ver tão bem-humorado. Antes de mais nada, por uma questão de autoestima: não julgam exagerado contratar o célebre inglês para me vencer. Em seguida, pense no prazer que será experimentar um lutador da minha categoria, só de pensar num duelo com Herlock Sholmes. Finalmente! Serei obrigado a me empenhar muito!

Conheço o sujeito, ele não recuará um passo.

— Ele é forte.

— Muito forte. Como policial, não acredito que já tenha existido ou exista outro igual. Por outro lado, levo uma vantagem sobre ele, é que ele ataca e eu me defendo. Meu papel é mais fácil. Além disso...

Sorriu sutilmente, antes de terminar a frase:

— Além disso, conheço sua maneira de lutar e ele não conhece a minha. Reservo-lhe alguns golpes secretos que o farão refletir...

Ele batia na mesa com pequenos toques de seus dedos, e deixava escapar pequenas frases com ar de encantamento:

— Arsène Lupin contra Herlock Sholmes... França contra Inglaterra... Finalmente, Trafalgar será vingada! Ah! O infeliz... nem desconfia que estou preparado... e um Lupin precavido...

Sacudido por um acesso de tosse, escondeu o rosto no prato, como se tivesse engasgado.

— Uma migalha de pão? Perguntei. — Tome um pouco d'água.

— Não, não é isso — ele disse, com a voz abafada.

— Então... o que é?

— Preciso de ar.

— Deseja que abram a janela?

— Não, vou sair, rápido, passe-me o sobretudo e o chapéu, preciso sair daqui...

— Ora, mas o que houve?

— Esses dois homens que acabam de entrar... está vendo, o mais alto... Ao sair, caminhe do meu lado esquerdo, para que ele não possa me ver.

— O que sentou atrás de você?

— Ele mesmo... por razões pessoais, prefiro... lá fora eu lhe explicarei...

— Quem é ele?

— Herlock Sholmes.

Fez um violento esforço para se controlar, como se tivesse vergonha de sua agitação. Largou o guardanapo, engoliu um pouco d'água e, sorrindo, recuperado, me disse:

— Engraçado, hein? Não costumo me abalar com facilidade, mas essa visão inesperada...

* * *

— Do que tem medo, uma vez que ninguém pode reconhecê-lo, depois de todas as suas transformações? Eu mesmo, todas as vezes que o encontro, penso me encontrar diante de uma outra pessoa.

— Ele me reconhecerá — disse Arsène Lupin. — Só me viu uma vez, mas percebi que me viu pelo resto da vida e que via não apenas minha aparência, sempre alterável, mas o próprio ser que eu sou... E depois... eu não esperava por isso... Que encontro singular... neste pequeno restaurante...

— Vamos sair? — Não... nao...

— O que fará?

— O melhor seria agir francamente... entregar-me a ele...

— Não está pensando nisso...

— Claro que sim, estou... Afinal, eu poderia aproveitar para interrogá-lo, saber o que ele sabe... Ah, pronto, tenho a impressão de que seus olhos pousam na minha nuca, nos meus ombros... e que ele procura... recorda...

Ele parou para pensar. Notei um sorriso malicioso no canto de seus lábios, depois, obedecendo, mais a um capricho de sua natureza impulsiva do que às exigências da situação, levantou-se bruscamente, voltou-se e, inclinando-se, disse:

— Olha só que acaso! É realmente muita sorte... permita-me lhe apresentar um amigo meu...

Por um ou dois segundos, o inglês pareceu desconcertado, pois, num gesto instintivo, quase se atirou sobre Arsène Lupin. Este balançou a cabeça:

— Você se engana... sem falar que o gesto seria deselegante... e tão inútil!

O inglês olhou para os dois lados, como se buscasse ajuda.

— Isso também não — decretou Lupin.

— Tem certeza de estar capacitado a me capturar? Vamos, mostre que é um bom jogador.

Mostrar que era um bom jogador, no caso, não era nada tentador. Foi este, contudo, o partido que pareceu o melhor ao inglês, pois ele, fazendo menção de se levantar-se, apresentou com frieza:

— Sr. Wilson, meu amigo e colaborador.

— Sr. Arsène Lupin.

O espanto de Wilson causou alvoroço. Seus olhos arregalados e a boca escancarada barravam com duas rugas seu rosto aberto, a pele brilhante e esticada, e em torno da qual cabelos escovados e uma barba curta, grossa e vigorosa.

— Wilson, você não esconde o espanto diante dos acontecimentos mais casuais deste mundo — riu Herlock Sholmes, com ironia.

Wilson balbuciou:

— Por que não o prende?

— Não percebeu, Wilson, que esse cavalheiro está posicionado entre a porta e mim, e a dois passos da rua? Eu não teria tempo de mexer o dedo mínimo e ele já estaria do lado de fora.

— Não seja por isso — provocou Lupin.

Deu a volta na mesa e sentou-se de maneira que o inglês ficasse entre a porta e ele. Era se entregar de bandeja.

Wilson observou Herlock Sholmes para saber se tinha o direito de admirar aquele rasgo de audácia. O inglês permaneceu impenetrável. Porém, ao fim de um instante, chamou:

— Garçom!

O garçom acorreu. Sholmes pediu:

— Refrigerantes, cerveja e uísque.

A paz estava assinada... até segunda ordem. Em seguida, nós quatro, sentados à mesma mesa, conversávamos em voz baixa.

Herlock Sholmes é um homem comum. Na casa dos cinquenta anos, parece um burguês convicto que teria passado a vida em frente a uma mesa, mantendo livros de contabilidade. Nada o distingue de um honesto cidadão de Londres, nem suas suíças arruivadas, nem seu queixo bem barbeado, nem seu aspecto um tanto pesado — nada a não ser seus olhos aguçados, vivos e penetrantes.

É Herlock Sholmes, isto é, uma espécie de fenômeno de intuição, observação, clarividência e engenhosidade. É como se a natureza tivesse escolhido os dois tipos de policiais mais extraordinários que a imaginação produziu, o Dupin de Edgar Poe e o Lecoq de Gaboriau, para com eles, à sua maneira, construir um terceiro, ainda mais extraordinário e fictício. E, quando ouvimos a história das façanhas que o celebrizaram no mundo inteiro, na verdade nos perguntamos se ele mesmo, esse Herlock Sholmes, não é um personagem lendário, um herói expelido do cérebro de um grande romancista, de um Conan Doyle, por exemplo.

Imediatamente, como Arsène Lupin o interrogava sobre a duração de sua estadia, Sholmes colocou a conversa em seu contexto.

— Minha estadia depende do senhor, Sr. Lupin.

— Oh! — exclamou o outro, rindo. — Se dependesse de mim, eu lhe pediria que embarcasse novamente no seu navio esta noite.

— Esta noite é um pouco cedo, mas espero que dentro de oito ou dez dias...

— Tanta pressa assim?

— Tenho várias coisas em andamento, o assalto do Banco Anglo-Chinês, o rapto de lady Eccleston... Vejamos, Sr. Lupin, acha que uma semana será o suficiente?

— Dá e sobra, caso se atenha ao duplo caso do diamante azul. É, de resto, o lapso de tempo que preciso para tomar minhas precauções, se a elucidação desse duplo caso vier a lhe dar sobre mim algumas vantagens relativas à minha segurança.

— O problema — disse o inglês — é que pretendo efetivamente obter essas vantagens no espaço de oito a dez dias.

— E me prender no décimo primeiro, talvez?

— No décimo, prazo final.

Lupin refletiu e, balançando a cabeça:

— Difícil... difícil...

— Difícil, sim, mas possível. Logo, uma certeza...

— Certeza absoluta — enfatizou Wilson, como se ele mesmo vislumbrasse claramente a longa série de astúcias que levaria seu amigo ao resultado previsto.

Herlock Sholmes sorriu:

— Wilson, que sabe das coisas, está aqui para ratificá-lo.

E continuou:

— É claro que não tenho todos os trunfos nas mãos, uma vez que se trata de casos ocorridos alguns meses atrás. Faltam-me os elementos, os indícios sobre os quais tenho o hábito de basear minhas investigações.

— Como manchas de lama e cinzas de cigarro — articulou Wilson, com ar solene.

— Mas, além das notáveis conclusões do Sr. Ganimard, disponho de todas as reportagens escritas a respeito, todas as observações colhidas e, consequentemente, algumas ideias particulares sobre o caso.

— Alguns pontos de vista que nos foram sugeridos seja por análise, seja por hipótese — acrescentou Wilson.

— Seria indiscreto — perguntou Arsène Lupin, com respeito a Sholmes — indagar-lhe a opinião geral que chegou a formar?

Era verdadeiramente intrigante ver aqueles dois homens um diante do outro, cotovelos na mesa, discutindo grave e calmamente como se tivessem um problema árduo para resolver ou devessem entrar num consenso sobre um ponto de controvérsia. E tudo se dava com muita ironia, que ambos cultivavam profundamente, como diletantes e artistas. Wilson, por sua vez, contemplava.

Herlock encheu lentamente seu cachimbo, acendeu-o e se manifestou com as seguintes palavras:

— Julgo esse caso infinitamente menos complexo do que parece à primeira vista.

— Muito menos aparentemente — disse Wilson.

— Digo o caso, pois, para mim, há apenas um. A morte do barão d'Hautrec, a história do anel e, não esqueçamos, o mistério do número 514, série 23, não passam das muitas faces do que poderíamos chamar de enigma da mulher loira. Ora, a meu ver, trata-se pura e simplesmente de descobrir o elo que une esses três episódios da mesma história, o fato que prova a unidade dos três métodos. Ganimard, cujo tato é um pouco superficial, vê essa unidade na capacidade de desaparecimento, no poder de ir e vir permanecendo ao mesmo tempo invisível. Essa intervenção milagrosa não me satisfaz.

— E daí?

— Daí, quer dizer que, na minha opinião — articulou com clareza Herlock Sholmes — o que tem em comum nessas três aventuras é seu propósito declarado, evidente, embora não percebido até aqui, de levar o caso para o contexto previamente escolhido pelo senhor. Há nisso, de sua parte, mais que um plano, uma necessidade, uma condição indispensável para o êxito.

— Poderia detalhar mais?

— Por exemplo, desde o início do seu conflito com o Sr. Gerbois, não é evidente que o apartamento do Maître Detinan é o local escolhido pelo senhor, o local inevitável onde deve acontecer a reunião? Nenhum outro lhe parece mais seguro, a tal ponto que é lá que o senhor marca o encontro, publicamente poderíamos dizer, com a mulher loira e a senhorita Gerbois.

— A filha do professor — esclareceu Wilson.

— Agora, vamos falar sobre o diamante azul. Por acaso havia tentado se apropriar dele desde que o barão d'Hautrec o possuía? Não. Mas o barão herda a mansão de seu irmão: seis meses depois, a intervenção de Antoinette Bréhat e a primeira tentativa. O diamante lhe escapa e acontece o leilão, organizado com grande pompa no hotel Drouot. Será honesto esse leilão? O comprador mais rico está seguro de adquirir a joia? De forma alguma. No momento em que o banqueiro Herschmann vai arrematá-lo, uma mulher lhe entrega uma carta de ameaças e é a condessa De Crozon, influenciada por essa mesma mulher, que compra o diamante. Ele vai desaparecer imediatamente? Não. Mas a condessa se instala em seu castelo. É o que o senhor esperava. O anel desaparece.

— Para reaparecer na bolsinha do cônsul Bleichen, anomalia bizarra — retrucou Lupin.

— Vamos lá — exclamou Herlock, batendo na mesa com o punho fechado —, não é a mim que deve contar essas bobagens. Que os tolos se deixem levar, tudo bem, mas não a velha raposa que sou. — O que significa?

— O que significa...

Sholmes fez uma pausa, como se quisesse controlar o impacto. Por fim, concluiu:

— O diamante azul que encontraram na bolsinha é um diamante falso. O verdadeiro está com o senhor.

Arsène Lupin permaneceu calado por um instante; depois, com os olhos pregados no inglês:

— É um homem indelicado, senhor.

— Um homem indelicado, não é mesmo? — indagou Wilson, pasmo de admiração.

— Sim — afirmou Lupin —, tudo se esclarece, tudo ganha seu verdadeiro significado. Nenhum dos juízes de instrução, nenhum dos repórteres especiais que investigam esse caso foram tão longe na direção da verdade. É um milagre de intuição e lógica.

— Aah! — exclamou o inglês, lisonjeado com a homenagem. — Bastava saber refletir, e muitos poucos o sabem! Mas agora que o campo das suposições se estreitou e o terreno foi limpo...

— Agora, só preciso descobrir por que as aventuras tiveram seu desfecho no número 28 da rua Clapeyron, no 134 da avenida Henri-Martin e entre os muros do castelo De Crozon. Todo o caso reside aí. O resto não passa de farsa e historinha para crianças. Não é sua opinião?

— É minha opinião.

— Nesse caso, Sr. Lupin, estou errado em repetir que dentro de dez dias minha missão estará concluída?

— Dentro de dez dias, toda a verdade será do seu conhecimento.

— E o senhor será preso.

— Não.

— Não?

— Para que eu seja preso, é necessário uma junção de circunstâncias tão inacreditável, uma série de tristes coincidências tão estarrecedoras, que não admito essa possibilidade.

— O que não podem as circunstâncias e as coincidências adversas, a vontade e a obstinação de um homem poderão, Sr. Lupin.

— Se a vontade e a obstinação de outro não opuserem a tal desígnio um obstáculo invencível, Sr. Sholmes.

— Não existe obstáculo invencível, Sr. Lupin.

O olhar que trocaram foi profundo, sem provocação de um lado ou outro, mas calmo e insolente.

Era o choque de duas espadas iniciando o duelo, que soava claro e franco.

— Melhor assim — exclamou Lupin —, eis alguém! Um adversário, e é Herlock Sholmes! Vamos nos divertir.

— Não tem medo? — perguntou Wilson.

— Quase, senhor Wilson, e a prova — disse Lupin, levantando-se — é que vou apressar minhas disposições de retirada... sem o que poderia ser capturado na toca. Então, dizemos dez dias, Sr. Sholmes?

— Dez dias. Hoje é domingo. De quarta-feira a uma semana, tudo estará terminado.

— E estarei atrás das grades?

— Sem a menor dúvida.

— Droga! E eu tão feliz com a minha vida sossegada. Sem aborrecimentos, bons negócios, a polícia vivendo um inferno, a simpatia universal que me cerca... Precisarei mudar tudo isso! Enfim, é o avesso da medalha... Depois da bonança, a tempestade... Não é mais hora de rir. Adeus...

— Depressa! — alertou Wilson, cheio de gentileza por um indivíduo ao qual Sholmes inspirava tanta consideração —, não perca um minuto.

— Nem um minuto, Sr. Wilson, apenas o tempo de lhe dizer como estou contente com este encontro e como invejo o mestre por ter um colaborador tão valioso quanto o senhor.

Saudaram-se cortesmente, como, no terreno de luta, dois adversários a quem nenhum ódio divide, mas que o destino obriga a duelarem sem misericórdia. E Lupin, agarrando meu braço, arrastou-me para a saída.

— O que me diz, meu caro? Eis uma refeição cujos incidentes hão de se destacar nas memórias que prepara sobre mim.

Ele fechou a porta do restaurante, parando alguns passos adiante:

— Você fuma?

— Não, mas você tampouco, me parece.

— Eu tampouco.

Ele acendeu um cigarro com um fósforo de parafina, que sacudiu várias vezes para apagar. Mas, assim que jogou fora o cigarro, atravessou correndo a rua e se juntou a dois homens que acabavam de surgir, como chamados por um sinal. Conversou alguns minutos com eles na outra calçada, depois voltou até onde eu estava.

— Peço-lhe perdão, esse maldito Sholmes vai me dar trabalho. Mas juro que ele não acabou com Lupin ainda... Ah, o malandro, ele verá que sou um osso duro de roer... Até logo. O indescritível Wilson tem razão, não tenho um minuto a perder.

Afastou-se rapidamente.

Assim terminou a estranha noite, ou pelo menos a parte da noite em que estive envolvido. Pois, nas horas seguintes, desenrolaram-se outros acontecimentos, que as confidências dos outros convidados desse jantar me permitiram felizmente reconstituir em detalhe.

No exato instante em que Lupin me deixava, Herlock Sholmes puxou seu relógio e se levantou:

— Vinte para as nove. Às nove devo encontrar o conde e a condessa na estação.

— A caminho! — exclamou Wilson, bebendo dois copos de uísque um atrás do outro.

Saíram.

— Wilson, não se vire... Talvez estejamos sendo seguidos; nesse caso, vamos agir como se não nos importássemos... Então, Wilson, dê-me sua opinião: por que Lupin estava nesse restaurante?

Wilson não hesitou:

— Para comer.

— Wilson, quanto mais trabalhamos juntos, mais percebo a continuidade dos seus progressos. Palavra de honra, você vai se tornando assombroso.

Na penumbra, Wilson ficou vermelho, e Sholmes prosseguiu:

— Para comer, vá lá, e em segundo lugar, muito provavelmente, para se certificar de que vou mesmo a Crozon, como anuncia Ganimard em sua entrevista. Iria então, para não o contrariar. Mas, como se trata de ganhar tempo sobre ele, não vou.

— Como? — reagiu Wilson, pasmo.

— Você, meu amigo, siga por essa rua, pegue um carro, dois, três carros. Volte mais tarde para apanhar as valises que deixamos no guarda-volumes e, dirija-se ao Élysée-Palace.

— E no Élysée-Palace?

— Peça um quarto, deite-se, durma com um olho aberto e aguarde minhas instruções.

Wilson, todo orgulhoso do importante papel que lhe era confiado, partiu. Herlock Sholmes pegou seu bilhete e dirigiu-se ao expresso de Amiens, no qual o conde e a condessa De Crozon já estavam instalados.

Limitou-se a cumprimentá-los, acendeu um segundo cachimbo e fumou tranquilamente, de pé no corredor.

O trem partiu. Após dez minutos, ele foi se sentar junto à condessa e lhe disse:

— Está com o anel, senhora?

— Sim.

— Por favor, me empreste.

Pegou-o e examinou-o.

— É de fato o que eu pensava, é diamante reconstituído.

— Diamante reconstituído?

— Um novo procedimento que consiste em submeter o pó do diamante a uma temperatura altíssima, de maneira a reduzi-lo em fusão... só faltando reconstituí-lo numa única pedra.

— Como assim?! Meu diamante é verdadeiro.

— O seu, sim, mas este não é o seu.

— E onde está o meu?

— Nas mãos de Arsène Lupin.

— E este, então?

— Foi posto no lugar do seu e enfiado na bolsinha do Sr. Bleichen, onde o encontrou.
— É falso então?
— Completamente falso.

Estupefata, alterada, a condessa se calou, enquanto o marido, incrédulo, virava e revirava a joia em todas as direções. Ela terminou por balbuciar:

— Será possível?! Mas por que não o roubaram pura e simplesmente? E como o surrupiaram?

— É precisamente isso que tratarei de esclarecer.

— No castelo De Crozon?

— Não, descerei em Creil e volto a Paris. É lá que deve se travar o duelo entre mim e Arsène Lupin. As estocadas terão o mesmo efeito em qualquer lugar, mas é preferível que Lupin me julgue em viagem.

— Contudo...

— O que lhe importa, senhora? O essencial é seu diamante, não é?

— Sim.

— Pois bem, fique tranquila. Assumi não faz muito tempo um compromisso muito mais difícil de cumprir. Palavra de Herlock Sholmes, eu lhe devolverei o diamante verdadeiro.

O trem desacelerava. Ele guardou o falso diamante no bolso e abriu a porta do vagão. O conde exclamou:

— Mas o senhor está descendo no meio da pista!

— Assim, se Lupin infiltrou alguém neste vagão, eles perderão meu rastro.

Um funcionário protestou em vão. O inglês se dirigiu ao escritório do chefe da estação. Cinquenta minutos depois, pulava num trem que o traria de volta a Paris um pouco antes da meia-noite.

Lá, atravessou a estação correndo, cruzou a área de alimentação, saiu por outra porta e se precipitou dentro de uma carruagem de aluguel.

— Cocheiro, rua Clapeyron.

Tendo a certeza de que não era seguido, mandou parar no começo da rua e procedeu a um exame minucioso no prédio do Maître Detinan e em dois prédios vizinhos. Dando passadas iguais, media certas distâncias e escrevia observações e algarismos em sua caderneta.

— Cocheiro, avenida Henri-Martin.

Na esquina da avenida com a rua de la Pompe, pagou a corrida, seguiu pela calçada até o 134 e repetiu tais procedimentos em frente ao antigo palacete do barão d'Hautrec e aos dois prédios laterais, medindo a largura de suas respectivas fachadas e calculando a profundidade dos pequenos jardins que as precedem.

A avenida estava deserta e muito escura sob suas quatro fileiras de árvores, entre as quais, de quando em quando, um bico de gás parecia lutar contra a escuridão. Um deles projetava uma clara luz sobre parte do palacete, e Sholmes viu o anúncio "aluga-se" pendurado no portão, as calçadas abandonadas que circundavam o pequeno gramado, e as vastas janelas vazias da casa.

— É verdade ele constatou — desde a morte do barão, ninguém mora aqui... Ah, se eu pudesse entrar e fazer uma primeira visita!

Bastava que essa ideia surgisse para ele querer logo executá-la. Mas como? A altura do portão inviabilizava qualquer tentativa de escalada. Tirou do bolso uma lanterna e uma chave-mestra da qual não se separava. Para seu espanto, percebeu que uma das portas estava entreaberta. Entrou no jardim, tomando cuidado para não fechar a porta. Mas ele não deu três passos antes de parar. Um brilho havia passado por uma das janelas do segundo andar.

E a luz voltou para uma segunda janela e uma terceira, sem que ele pudesse ver nada além de uma silhueta nas paredes dos quartos. E do segundo andar a luz desceu para o primeiro, e por muito tempo vagou de cômodo em cômodo.

— Quem pode andar por aí à uma da manhã na casa onde o barão d'Hautrec foi morto? — Herlock se perguntou, muito intrigado.

Só havia um meio de saber, tentar invadir o local. Porém, ao se aproximar dos degraus da entrada, ele atravessou a faixa de claridade projetada pelo bico de gás, e o homem deve tê-lo avistado, pois a luz se apagou repentinamente e Herlock Sholmes não a viu mais.

Empurrou suavemente a porta da entrada. Também estava aberta. Não ouvindo qualquer ruído, arriscou-se na escuridão, encontrou o início do corrimão e subiu um andar. Sempre o mesmo silêncio, nas mesmas trevas.

Ao chegar no saguão, entrou num cômodo e aproximou-se da janela, que refletia um pouco de luz da noite. Avistou então, do lado de fora, o homem, que, tendo descido por outra escada, e saído por outra porta, estava à esquerda, próximo aos arbustos que margeavam o muro entre os dois jardins.

— Diabos — exclamou Sholmes —, ele vai escapar!

Ele correu escada abaixo para impedir a fuga. Contudo, não viu mais ninguém e precisou de alguns segundos para distinguir, no meio dos arbustos, uma massa mais escura e não completamente imóvel.

O inglês parou para pensar. Por que o indivíduo não tentara fugir, quando poderia tê-lo feito com facilidade? Será que permaneceu ali para vigiar o intruso que atrapalhara o que estava fazendo?

— Em todo caso, pensou, não é Lupin. Ele teria sido mais hábil. Deve ser alguém da sua gangue.

Longos minutos se passaram. Herlock não se mexeu, observando o adversário que o espiava. Mas como esse adversário não se mexia, e o inglês não era homem de ficar na inércia, checou se o tambor do seu revólver funcionava, pegou seu punhal e caminhou em direção ao inimigo com a audácia fria e a coragem que o fazem tão temido. Um ruído seco: o indivíduo engatilhava seu revólver. Herlock se atirou bruscamente sobre a moita. O outro não teve tempo de correr: o inglês já estava em cima dele. Seguiu-se uma luta desesperada, durante a qual Herlock percebeu o esforço do homem para puxar sua faca. Sholmes, no entanto, obcecado com a ideia de sua vitória iminente, o desejo de se apoderar, desde o primeiro momento, desse cúmplice de Arsène Lupin, sentia-se tomado por uma força avassaladora. Derrubou o adversário, imprensou-o com todo o seu peso e, imobilizando-o com dedos fincados na garganta do adversário, como as garras de um abutre, com a mão livre procurou sua lanterna, apertou o botão e projetou a luz no rosto de seu prisioneiro.

— Wilson! — berrou, aterrado.
— Herlock Sholmes! — balbuciou uma voz engasgada, cavernosa.

Permaneceram longo tempo um em cima do outro sem trocar uma palavra, aniquilados, imóveis. A buzina de um automóvel soou. Uma ventania agitou as folhas. Sholmes não se mexia, os dedos ainda cravados na garganta de Wilson, que exalava uma respiração ruidosa cada vez mais fraca.

De repente, louco de raiva, Herlock largou o amigo, mas para agarrá-lo pelos ombros e sacudi-lo freneticamente.

— O que faz aqui? Responda... o quê? Por acaso eu lhe disse para se esconder nos arbustos e me espionar?
— Espiná-lo — gemeu Wilson —, mas eu não sabia que era você.
— Então o quê? O que faz aqui? Devia estar deitado.
— Eu me deitei.
— Devia estar dormindo!
— Eu dormi.
— Não devia ter acordado!
— Sua carta...
— Minha carta...?
— Sim, a que um mensageiro me entregou de sua parte no hotel...
— Uma mensagem minha? Enlouqueceu?
— Juro.
— Onde está essa carta?

Seu amigo lhe estendeu uma folha de papel. À luz da lanterna, Sholmes leu-a com espanto:

"*Wilson, fora da cama, corra até a avenida Henri-Martin. A casa está vazia. Entre, inspecione, faça uma planta exata e volte a dormir.*
Herlock Sholmes"

— Eu estava medindo os cômodos — explicou Wilson — quando percebi uma sombra no jardim. Só me passou uma coisa pela cabeça...
— Foi agarrar a sombra... A ideia era excelente... Mas, por favor — disse Sholmes, ajudando seu companheiro a se levantar—, da próxima vez, Wilson, quando receber uma carta minha, certifique-se primeiro de que minha letra não foi imitada.
— Mas então — disse Wilson, começando a vislumbrar a verdade — a carta não é sua?
— Infelizmente, não.
— De quem é?

— De Arsène Lupin.
— Mas com que objetivo ele a escreveu?
— Ah, disso não faço ideia, e é justamente o que me preocupa. Por que ele se deu ao trabalho de importuná-lo? Se ainda fosse comigo, eu compreenderia, mas foi só com você. E me pergunto qual interesse...
— Estou com pressa de voltar ao hotel.
— Eu também, Wilson.
Chegaram à porta. Wilson, que estava à frente, tentou abrir.
— Que estranho — ele disse —, você fechou?
— De forma alguma, deixei apenas encostada.
— No entanto...
Herlock puxou por sua vez, depois, abalado, tentou a fechadura.
— Com mil diabos... está fechado! Fechado a chave!
Sacudiu a porta com toda a força, depois, compreendendo a inutilidade de seus esforços, deixou cair os braços, desanimado, e articulou, com uma voz espasmódica:
— Agora entendi tudo, é ele: Lupin previu que eu desembarcaria em Creil e armou aqui uma armadilha para o caso de eu começar minha investigação na mesma noite. Além disso, fez a gentileza de me enviar um colega de cativeiro. Tudo isso para me fazer perder um dia e também, sem dúvida, para demonstrar que eu faria muito melhor se cuidasse dos meus assuntos...
— Quer dizer que somos seus prisioneiros.
— Você disse tudo. Herlock Sholmes e Wilson são prisioneiros de Arsène Lupin. A aventura começa às mil maravilhas... Mas não, não, isso é inadmissível... Uma mão desceu sobre seu ombro, a mão de Wilson.
— Lá no alto... olhe lá no alto... uma luz...
Uma das janelas do primeiro andar estava iluminada.
Saíram os dois desabalados, cada um por uma escada, chegando ao mesmo tempo na entrada do quarto aceso. No meio do cômodo, ardia uma espécie de vela. Ao lado, havia uma cesta, com uma garrafa de vinho, coxas de um frango e metade de um pão.
Sholmes caiu na risada.
— Magnífico, oferecem-nos uma ceia. É o palácio das magias. Um verdadeiro conto de fadas! Vamos, Wilson, não faça essa cara de enterro.
Tudo isso é engraçadíssimo.
— Tem certeza de que é engraçadíssimo? — murmurou Wilson, triste.
— Sim, tenho certeza — exclamou Sholmes, com uma risada um pouco alta demais para ser natural —, quer dizer, nunca vi nada mais engraçado.
É um humor sadio... Que mestre da ironia é esse Arsène Lupin. Ele tapeia você, mas com tanta graça... Eu não cederia meu lugar nesse banquete nem por nada... Wilson, meu amigo, você me aflige. Estou enganado ou não possui a nobreza de caráter que ajuda a suportar o infortúnio? De que se queixa? A esta hora poderia estar com o meu punhal na garganta... ou eu com o seu na minha...

Conseguiu, à força de humor e sarcasmos, reanimar o triste Wilson e fazê-lo engolir uma coxa de frango e um copo de vinho. Mas quando a vela se apagou e precisaram deitar para dormir, no assoalho, e aceitar a parede como travesseiro, o lado cruel e ridículo da situação veio à tona. E o sono dos dois foi difícil.

Pela manhã, Wilson acordou rígido e com frio. Um leve ruído chamou sua atenção: Herlock Sholmes, de joelhos, curvado, observava grãos de poeira com a lupa e detectava marcas de giz branco, quase apagadas, que formavam algarismos, que ele anotava em sua caderneta.

Escoltado por Wilson, a quem esse trabalho interessava especialmente, estudou cada cômodo, constatando as mesmas marcas de giz em outros dois. E encontrou igualmente dois círculos nos painéis de carvalho, uma flecha num lambri e quatro algarismos em quatro degraus da escada.

Ao fim de uma hora, Wilson lhe disse:

— Os números são exatos, não é?

— Exatos? Não faço ideia — respondeu Herlock, a quem tais descobertas haviam devolvido o bom humor —, em todo caso, significam alguma coisa.

— Uma coisa óbvia — replicou Wilson —, representam o número de tacos do assoalho.

— Ah!

— Quanto aos dois círculos, indicam que os painéis são falsos, como pode comprovar, e a flecha está apontada na direção do elevador de pratos.

Herlock Sholmes fitou-o maravilhado.

— E essa agora! Ora, querido amigo, como sabe de tudo isso? Sua clarividência chega a me deixar encabulado.

— Oh, é muito simples — explicou Wilson—, fui eu que tracei essas marcas ontem à noite, seguindo suas instruções, ou melhor, as de Lupin, uma vez que a carta que me enviou é dele.

Talvez nesse minuto Wilson tenha corrido um perigo mais terrível do que durante sua luta com Sholmes na moita. O detetive sentiu uma vontade feroz de estrangulá-lo. Tentou se controlar e disse:

— Perfeito, perfeito, eis um excelente trabalho que nos adianta muito. Seu admirável espírito de análise e de observação foi empregado em alguma outra questão? Tirarei proveito dos resultados alcançados.

— Juro que não. Parei nisso.

— Que pena! O começo foi promissor. Mas, já que é assim, só nos resta ir embora.

— Ir embora! E como?

— Segundo o modo habitual das pessoas honestas que vão embora: pela porta.

— Está fechada.

— Alguém abrirá.

— Quem?

— Queira chamar esses dois policiais que estão caminhando na avenida.

— Mas...

— Mas o quê?

— É humilhante demais... Que dirão quando souberem que você, Herlock Sholmes, e eu, Wilson, ficamos prisioneiros de Arsène Lupin?

— O que fazer, meu caro, vão se contorcer de rir — respondeu Herlock. Por outro lado, não podemos tomar esta casa como domicílio.

— E não vai tentar nada?

— Nada.

— No entanto, o homem que nos trouxe o cesto com o lanche não atravessou o jardim nem quando chegou nem quando partiu. Logo, existe outra saída. Vamos procurá-la e não precisaremos recorrer aos guardas.

— Bem pensado. Só está esquecendo que a polícia de Paris procurou essa saída há seis meses e que eu mesmo, enquanto você dormia, percorri o palacete de alto a baixo. Ah! Meu bom Wilson, Arsène Lupin é uma caça com que não estamos habituados. Não deixa nenhum rastro...

Às onze horas, Herlock Sholmes e Wilson foram libertados e conduzidos à delegacia mais próxima, onde o delegado, após interrogá-los severamente, soltou-os com uma afetação irritante:

— Sinto muito, cavalheiros, pelo que lhes aconteceu. Os senhores terão uma triste opinião da hospitalidade francesa. Meu Deus, que noite devem ter passado! Ah, esse Lupin realmente não tem o menor respeito.

Uma carruagem levou-os até o Élysée-Palace. Na recepção, Wilson pediu a chave de seu quarto.

Após algumas buscas, o funcionário respondeu, bastante espantado:

— Mas, senhor, o senhor já desocupou este quarto.

— Eu! E como?

— Com sua carta desta manhã, que seu amigo nos entregou.

— Que amigo?

— O senhor que nos entregou sua carta... Veja, seu cartão de visita ainda está anexado nela.

Era de fato um de seus cartões de visita, e, na carta, era de fato sua letra.

— Santo Deus — murmurou —, outro golpe baixo.

E acrescentou ansiosamente:

— E as bagagens?

— Seu amigo levou.

— Ah...! E os senhores as entregaram?

— Claro, uma vez que sua carta nos autorizava.

— De fato...

Os dois saíram à deriva pelos Champs-Élysées, calados e devagar. Um bonito sol de outono iluminava a avenida. O ar estava ameno e leve.

Na praça, Herlock acendeu seu cachimbo e seguiu adiante. Wilson exclamou:

— Não compreendo, Sholmes, esta sua calma. Zombam de você, brincam com você de gato e rato... E você não fala nada!

Sholmes parou e lhe disse:

— Wilson, estou pensando no seu cartão de visita.

— O que tem ele?

— Tem o seguinte: eis um homem que, prevendo uma luta possível contra nós, arranjou amostras de sua caligrafia e da minha, e que ainda possui, prontinho na carteira, um cartão de visita seu. Percebe o que isso representa de precaução, perspicácia, método e organização?

— Isso quer dizer?

— Isso quer dizer, Wilson, que para combater um inimigo tão prodigiosamente armado, tão magnificamente preparado — e vencê-lo —, é preciso ser eu. E mesmo assim, Wilson, como você pode ver — acrescentou, rindo —, não triunfamos na primeira tentativa.

Às seis horas, o *Écho de France*, na edição vespertina, publicava a seguinte a nota:

"Esta manhã, o Sr. Thénard, delegado de polícia do 16º divisão, libertou os Srs. Herlock Sholmes e Wilson, trancafiados sob os auspícios de Arsène Lupin no palacete do finado barão d'Hautrec, onde haviam passado uma excelente noite.

Aliviados, além disso, de suas bagagens, eles depositaram uma queixa contra Arsène Lupin.

Arsène Lupin, que, dessa vez, contentou-se em infligir aos dois uma pequena lição, suplica-lhes que não o obriguem a medidas mais graves."

— Bah! — fez Herlock Sholmes, amassando o jornal. — Tolice! É a única coisa que censuro Lupin... o excesso de infantilidade... A plateia é muito importante para ele... Há um moleque nesse homem!

— Ora, Herlock, onde está a calma de antes?

— Continuo calmo — respondeu Sholmes, num tom em que demonstrava a cólera mais angustiante. Para que me irritar? Tenho tanta certeza de que a última palavra será minha!

Capítulo 4
ALGUMAS LUZES NA ESCURIDÃO

Por mais consistente que seja o caráter de um homem — e Sholmes é dessas criaturas a quem a má sorte não atinge —, há circunstâncias em que o mais intrépido sente necessidade de recompor suas forças antes de enfrentar novamente os obstáculos de uma batalha.

— Vou folgar hoje — ele disse.
— E eu?
— Você, Wilson, vai comprar roupas para refazer nosso guarda-roupa. Enquanto isso, vou descansar.
— Descanse, Sholmes. Eu vigio.

Wilson pronunciou essas duas palavras com toda a importância de uma sentinela posicionada nas primeiras fileiras e, exposta aos piores perigos. Inflou o peito. Enrijeceu os músculos. Com um olhar atento, examinou o espaço do pequeno quarto de hotel onde haviam se instalado.

— Vigie, Wilson. Aproveitarei para elaborar um plano de campanha mais adequado ao adversário que temos pela frente. Veja, Wilson, nos enganamos sobre Lupin. Temos de recomeçar.
— Mas temos tempo?
— Nove dias, velho amigo! São cinco a mais.

O inglês passou a tarde inteira fumando e dormindo. Só no dia seguinte deu início aos trabalhos.

— Estou pronto, Wilson, agora vamos caminhar.
— Caminhemos! — exclamou Wilson. — Confesso que, de minha parte, sinto as pernas formigando.

Sholmes teve três longas entrevistas — com o Maître Detinan em primeiro lugar, cujo apartamento ele estudou em detalhes; com Suzanne Gerbois, a quem telegrafara para vir e a quem interrogou sobre a mulher loira; com a irmã Auguste, por fim, reclusa no convento das Visitandinas desde o assassinato do barão d'Hautrec.

A cada visita, Wilson esperava do lado de fora, e a cada vez perguntava:
— Satisfeito?
— Muito.
— Eu estava certo, estamos no caminho certo.

Caminharam muito. Visitaram os dois prédios que ladeiam o palacete da avenida Henri-Martin, depois foram até a rua Clapeyron e, enquanto examinava a fachada do número 25, Sholmes concluiu:

— É evidente que existem passagens secretas entre todos esses prédios...

Lá no fundo, e pela primeira vez, Wilson duvidou da onipotência de seu chefe. Por que falava tanto e agia tão pouco?

— Por quê?! — exclamou Sholmes, respondendo aos pensamentos íntimos de Wilson. — Porque, com esse tal de Lupin, trabalhamos no vazio, ao acaso, e, em vez de extrair a verdade de fatos precisos, temos de arrancá-la de seu próprio cérebro, para em seguida verificar se ela se encaixa nos acontecimentos.

— Mas e as passagens secretas?
— Mesmo quando eu as descobrir, tanto aquela que permitiu a Lupin entrar na casa de seu advogado, quanto aquela que a mulher loira seguiu após o assassinato do barão d'Hautrec, terei avançado alguma coisa? Isso me forneceria armas para atacá-lo?

— Por via das dúvidas, ataquemos! — exclamou Wilson.

Não tinha terminado essas palavras quando recuou, com um grito. Alguma coisa acabava de cair aos seus pés, um saco de areia cheio até a metade, que poderia tê-los ferido gravemente.

Sholmes levantou a cabeça, operários trabalhavam num andaime preso na sacada do quinto andar.

— Muito bem! Estamos com sorte — exclamou. Um passo a mais e receberíamos na cabeça o saco de um desses desastrados. Até parece que...

Então correu em direção ao prédio, subiu os cinco andares, tocou, entrou no apartamento, para grande pavor do criado, e dirigiu-se à sacada. Não havia ninguém.

— Os operários que estavam aqui...? Indagou ao criado.

— Acabam de partir.

— Por onde?

— Ora, pela escada de serviço.

Sholmes debruçou-se na sacada. Viu dois homens saindo do prédio, empurrando suas bicicletas. Subiram no selim e desapareceram.

— Faz muito tempo que eles trabalham nesse andaime?

— Chegaram hoje de manhã. São novos.

Retornaram ao hotel e esse segundo dia terminou num silêncio tristonho.

No dia seguinte, o ritual se repetiu. Sentaram-se no mesmo banco da avenida Henri-Martin e, para grande desespero de Wilson, que não se divertia nem um pouco, foi uma tocaia sem fim defronte dos três prédios.

— O que espera, Sholmes? Que Lupin saia desses prédios?

— Não.

— Que a mulher loira apareça?

— Não.

— Então o quê?

— Espero que aconteça um pequeno fato, um fato qualquer, que me sirva de ponto de partida.

— E se ele não acontecer?

— Nesse caso, vai ocorrer dentro de mim uma faísca que ateará fogo na pólvora.

Um incidente quebrou a monotonia daquela manhã.

O cavalo de um senhor, que seguia pelo setor equestre situado entre as duas pistas da avenida, desgarrou e veio bater no banco onde os dois estavam sentados, de maneira que garupa encostou no ombro de Sholmes.

— Eh, eh! — ironizou, com um sorriso. Mais um pouco e me fraturava o ombro!

O sujeito procurava dominar sua montaria. O inglês sacou seu revólver e mirou. Wilson agarrou-lhe o braço com energia.

— Está louco, Herlock! Ora, vamos... vai matar esse cavalheiro!

— Solte-me, Wilson... solte-me.

Começou uma luta entre eles, durante a qual o senhor dominou sua montaria e esporeou.

— Agora pode atirar! — exclamou Wilson, quando o cavaleiro se distanciou um pouco.

— Ora, seu imbecil, não percebeu que era um cúmplice de Arsène Lupin?

Sholmes tremia de raiva. Wilson, digno de pena, balbuciou:

— O que está dizendo? Aquele cavalheiro...?

— Cúmplice de Lupin, assim como os operários que jogaram o saco em nossas cabeças.

— Acha isso possível?

— Possível ou não, era um meio de termos certeza.

— Matando aquele cavalheiro?

— Abatendo seu cavalo, pura e simplesmente. Não fosse por você, eu teria um dos cúmplices de Lupin. Percebeu sua tolice?

A tarde foi melancólica. Não trocaram uma palavra. Às cinco horas, enquanto os dois vagavam pela rua Clapeyron, tomando o cuidado de se manterem afastados dos prédios, três jovens operários que cantavam de braços dados esbarraram neles e quiseram seguir adiante sem se soltarem. Sholmes, que estava de mau humor, opôs-se a isso. Houve um breve conflito. Sholmes, fazendo pose de pugilista, desferiu alguns socos e derrubou dois dos três jovens, que, afastaram-se, assim como seu companheiro.

— Ah! — exclamou. — Como isso me fez bem... Eu estava justamente muito tenso... excelente trabalho...

Mas, percebendo Wilson recostado no muro, disse-lhe:

— O que houve, velho camarada, você está lívido.

Wilson mostrou seu braço, que pendia inerte, e gemeu:

— Não sei o que tenho... uma dor no braço.

— Uma dor no braço? É grave?

— Sim... sim... o braço direito...

Apesar de todos os seus esforços, não conseguia mexê-lo. Sholmes apalpou-o, delicadamente primeiro, depois de maneira mais rude, "para verificar", disse, "o grau exato da dor". O grau exato da dor foi tão elevado que, muito preocupado, ele entrou numa farmácia da vizinhança, onde Wilson desmaiou.

O farmacêutico e seus assistentes acudiram. Constataram que o braço estava quebrado e falou-se logo em cirurgia. Levaram Wilson para casa de saúde.

— Ótimo... ótimo... perfeito... — dizia Sholmes, que se encarregara de segurar o braço —, um pouco de paciência, meu velho camarada... dentro de cinco ou seis semanas estará curado... Mas eles me pagarão, os velhacos! Está ouvindo... ele sobretudo... pois foi novamente o desgraçado do Lupin que armou o golpe... Ah! juro que se um dia...

Calou-se bruscamente e soltou o braço, o que causou em Wilson tamanho sobressalto de dor que o pobre coitado desmaiou novamente... e, batendo na testa, articulou:

— Wilson, tenho uma ideia... será que por acaso...?

Ele não se mexia, os olhos fixos, apenas resmungava.

— Claro, é isso... tudo se explicaria... Procuramos longe o que está ao nosso lado... Ah, mas é claro, eu sabia que bastava refletir... Ah, meu bom Wilson, acho que vai ficar satisfeito!

E, deixando para trás o velho camarada, correu até o número 25. Acima e à direita da porta, gravado numa das pedras, lia-se: *Destange, arquiteto, 1875.*

No 23, os mesmos dizeres.

Até aí, nada de anormal. Mas lá, na avenida Henri-Martin, o que haveria?

Um coche passava.

— Cocheiro, avenida Henri-Martin, número 134, depressa.

De pé no coche, ele instigava o cavalo e oferecia gorjetas ao cocheiro. Mais rápido...! Mais rápido ainda!

Qual não foi sua angústia no cruzamento da rua de la Pompe! Numa das pedras do palacete, estavam gravadas estas palavras: *Destange, arquiteto, 1874.*

Nos prédios vizinhos, a mesma informação: *Destange, arquiteto, 1874.*

O choque dessas emoções foi tão grande que ele se recolheu por alguns minutos no fundo do coche, tendo arrepios de alegria. Por fim, uma luzinha vacilou em meio às trevas! Talvez seria o primeiro indício de uma pista seguida pelo inimigo!

Numa agência de correio, pediu uma ligação telefônica para o castelo De Crozon. A própria condessa atendeu.

— Alô...! É a senhora, madame?

— Sr. Sholmes? Como vai?

— Muito bem, mas estou com pressa, pode me dizer... Alô... só uma palavrinha...

— Estou ouvindo.

— Em que época foi construído o castelo De Crozon?

— Ele pegou fogo há trinta anos e foi reconstruído.

— Por quem? Em que ano?

— Uma inscrição acima da escada da entrada diz: "Lucien Destange, arquiteto, 1877."

— Obrigado, madame, meus cumprimentos.

Partiu, murmurando:

— Destange... Lucien Destange... Esse nome não me é estranho.

Passando por um gabinete de leitura, consultou um dicionário biográfico moderno e copiou o verbete relativo a *"Lucien Destange, nascido em 1840, Grand Prix de Roma, oficial da Legião de Honra, autor de obras muito apreciadas sobre arquitetura... etc."*

Dirigiu-se então para a casa de saúde para onde haviam levado Wilson. Em seu leito de tortura, o braço aprisionado numa tala, com febre, o velho camarada divagava.

— Vitória! Vitória! — exclamou Sholmes. Agarrei uma das pontas do fio.

— De que fio?

— Aquele que me levará ao objetivo! Vou caminhar em terreno sólido, onde haverá digitais, indícios...

— Cinzas de cigarro? perguntou Wilson, cujo interesse pela situação o reanimava.

— E muitas outras coisas! Pense um pouco, Wilson, descobri o vínculo misterioso que liga entre si as diferentes aventuras da mulher loira. Por que as três residências onde ocorreram essas três aventuras foram escolhidas por Lupin? Você sabe?

— Não, por quê?

— Porque essas três mansões, Wilson, foram construídas pelo mesmo arquiteto. Fácil de adivinhar, dirá você? Decerto... daí ninguém ter pensado nisso.

— Ninguém, exceto você.

— Exceto eu, que agora sei que o mesmo arquiteto, combinando plantas análogas, tornou possível o desfecho dos três atos, aparentemente milagrosos, na realidade simples e fáceis.

— Que felicidade!

— E já não era sem tempo, velho camarada, eu estava começando a perder a paciência... Afinal, já estamos no quarto dia.

— De dez.

— Oh! De agora em diante...

Ele não parava no lugar, exuberante e alegre, ao contrário de seu estilo.

— Mas quando penso que, ainda há pouco, na rua, esses patifes poderiam ter quebrado meu braço como fizeram com o seu. O que me diz sobre isso, Wilson?

Wilson limitou-se a sentir um arrepio diante daquela horrível suposição.

E Sholmes continuou:

— Que essa lição nos ensine! Veja, Wilson, nosso grande erro foi combater Lupin com o rosto descoberto e nos oferecer gentilmente aos seus golpes. Menos mal, uma vez que ele só atingiu você...

— E que fiquei apenas com um braço quebrado — gemeu Wilson.

— Embora pudesse ter quebrado os dois. Mas chega de bravatas. Em plena luz do dia e vigiado, fui vencido. Na sombra, e livre para me deslocar, a vantagem é minha, independentemente das forças do inimigo.

— Ganimard poderia ajudá-lo.

— Jamais! O dia em que eu puder dizer: Arsène Lupin está aqui, eis o seu esconderijo, e eis como podemos capturá-lo, irei procurar Ganimard num dos dois endereços que ele me deu: o seu domicílio, na rua Pergolèse, ou na taberna suíça, na praça do Châtelet. Até lá, estou agindo sozinho.

Aproximou-se do leito, colocou a mão no ombro de Wilson — o ombro lesionado, naturalmente — e disse com muito carinho:

— Cuide-se, meu velho camarada. De agora em diante seu papel consiste em ocupar dois ou três homens de Arsène Lupin, que, para encontrar meu rastro, esperarão à toa que eu venha saber notícias suas. É um papel de confiança.

— Um papel de confiança e lhe agradeço por isso — respondeu Wilson, cheio de gratidão. Farei de tudo para desempenhá-lo conscienciosamente. Mas, pelo que vejo, você não volta mais?

— Para fazer o quê? — perguntou friamente Sholmes.

— De fato... melhor eu não podia estar. Então, um último favor, Herlock: pode me dar alguma coisa para beber?
— Para beber?
— Sim, estou morrendo de sede, e com a minha febre...
— Oh, como não! É para já...

Remexeu em duas ou três garrafas, pegou um pacote de fumo, acendeu seu cachimbo e, como se não tivesse sequer ouvido o pedido do amigo, foi embora, enquanto o velho camarada implorava com o olhar por um copo d'água inacessível.

— O Sr. Detange está?

O criado considerou o indivíduo para o qual acabava de abrir a porta da mansão — a magnífica mansão na esquina da praça Malesherbes com a rua Montchanin — e, diante do aspecto daquele homenzinho de cabelos grisalhos, barba por fazer, e cuja comprida capa escura, de um asseio duvidoso, conformava-se às bizarrices de um corpo que a natureza havia singularmente maltratado, respondeu com o desdém que convinha:

— O Sr. Destange está ou não está?
— Isso depende. O senhor tem um cartão?

O cavalheiro não tinha cartão, mas tinha uma carta de apresentação, e o criado foi levar essa carta ao Sr. Destange. Este deu ordens para que o recém-chegado entrasse.

Ele foi então foi levado para um imenso salão circular, que ocupava uma das alas da mansão e cujas paredes estavam cobertas de livros. O arquiteto indagou:

— É o Sr. Stickmann?
— Sim, senhor.
— Meu secretário me comunicou que está doente e o envia para continuar a catalogação geral dos livros que ele começou sob minha direção, e, mais especialmente, dos livros alemães. Tem experiência com esse tipo de trabalho?
— Sim, senhor, uma longa experiência — respondeu o Sr. Stickmann com um forte sotaque alemão.

Nessas condições, o acordo foi logo firmado e, sem demora, o Sr. Destange pôs-se ao trabalho com seu novo secretário.

Herlock Sholmes estava no lugar certo.

Para escapar à vigilância de Lupin e penetrar na mansão onde Lucien Destange morava com a filha Clotilde, o ilustre detetive tivera de dar um mergulho no desconhecido, acumular metodologias, obter, sob os nomes mais variados, as boas graças e confidências de uma série de personagens. Resumindo, vivera, durante quarenta e oito horas, uma vida cheia de complicações.

Ele havia se informado de que o Sr. Destange, com a saúde abalada e desejando repousar, retirara-se dos negócios e vivia entre as coleções de livros sobre arquitetura que reunira. Nenhuma diversão lhe interessava, afora o espetáculo e a manipulação dos velhos fascículos empoeirados.

Quanto à sua filha Clotilde, tinha fama de excêntrica. Morava em outra ala da mansão e nunca saía.

— Nada disso, ele pensava, registrando os títulos de livros que o Sr. Destange lhe ditava — nada disso é decisivo, mas que passo à frente! Será possível que eu não descubra a solução de um desses problemas intrigantes: o Sr. Destange é parceiro de Arsène Lupin? Continua a vê-lo?

Existem documentos relativos à construção dos três prédios? Esses documentos me fornecerão o endereço de outros prédios, igualmente traiçoeiros, que Lupin teria reservado para ele e seu bando?

O Sr. Destange, cúmplice de Arsène Lupin! Aquele homem venerável, oficial da Legião de Honra, trabalhando ao lado de um ladrão? A hipótese era inadmissível. Aliás, aceitando tal cumplicidade, como o Sr. Destange poderia ter previsto, trinta anos antes, as evasões de Arsène Lupin, então ainda um bebê?

Não importa! O inglês estava obstinado. Com seu faro prodigioso, com o instinto que lhe é peculiar, percebia um mistério rondando à sua volta. Presumia isso a partir de pequenas coisas que não saberia precisar, mas que intuía desde que entrara na mansão.

Na manhã do segundo dia, ainda não fizera nenhuma descoberta. Às duas horas, viu pela primeira vez Clotilde Destange, que viera buscar um livro na biblioteca. Era uma mulher de uns trinta anos, morena, de gestos lentos, cujo rosto conservava a expressão indiferente daqueles que vivem fechados em si mesmos. Trocou algumas palavras com o Sr. Destange e se retirou, sem ao menos voltar os olhos para Sholmes.

A tarde se arrastou, monótona. Às cinco horas, o Sr. Destange comunicou que ia sair. Sholmes ficou sozinho na galeria circular. O dia chegava ao fim. Sholmes se preparava para sair quando um estalo ressoou. Ele teve a sensação de que havia mais alguém no ambiente. Longos minutos se sucederam. E de repente ele sentiu um arrepio: uma sombra surgia da penumbra, bem perto dele, na sacada. Como podia ser? Há quanto tempo aquele personagem invisível lhe fazia companhia? E de onde viera?

O homem desceu os degraus e se encaminhou para um grande armário de carvalho. Escondido atrás das cortinas que pendiam sobre a balaustrada da galeria, de joelhos, Sholmes observou e viu o homem, que remexia nos papéis no armário. O que procurava?

E eis que de repente a porta se abriu e a senhorita Destange entrou apressadamente, dizendo a alguém que a seguia:

— Então não vai mesmo sair, pai...? Nesse caso vou acender as luzes... um segundo... não se mexa...

O homem empurrou os batentes do armário e se escondeu na reentrância de uma grande janela, cujas cortinas puxou sobre si. Como a senhorita Destange não o viu? Como não o ouviu? Muito calmamente, ela girou o botão da eletricidade e deu passagem ao pai. Sentaram-se um ao lado do outro. Ela pegou um volume que trouxera e começou a ler.

— Seu secretário então não está mais aqui?

— Não... como vê...

— Continua satisfeito com ele? — ela continuou, como se ignorasse a doença do verdadeiro secretário e sua substituição por Stickmann.

— Continuo... continuo...

A cabeça do Sr. Destange pendia de um lado a outro. Ele adormeceu.

Passou um momento. A jovem lia. Nesse intervalo, uma das cortinas da janela foi afastada e o homem escapuliu ao longo da parede, na direção da porta, movimento que o fazia passar por trás do Sr. Destange, mas em frente a Clotilde, e de tal maneira que Sholmes pôde vê-lo distintamente. Era Arsène Lupin.

O inglês teve um calafrio de alegria. Seus cálculos estavam certos, ele penetrara no próprio âmago do misterioso caso, Lupin estava no lugar previsto.

Clotilde, contudo, não se mexia, embora fosse inadmissível que um único gesto daquele homem lhe escapasse. Lupin estava quase alcançando a porta e já estendia o braço para a maçaneta quando um objeto caiu de uma mesa, deslizando por sua roupa. O Sr. Destange acordou sobressaltado. Arsène Lupin já estava à sua frente, chapéu na mão e sorridente.

— Maxime Bermond — exclamou o Sr. Destange com alegria. — Querido Maxime! Que bons ventos o trazem?

— O desejo de vê-lo, bem como a senhorita Destange.

— Então voltou de viagem?

— Ontem.

— E fica para jantar?

— Não, janto com amigos em um restaurante.

— Amanhã, então? Clotilde, insista para que ele venha amanhã. Ah, esse bom Maxime... Justamente, eu pensava em você nos últimos dias.

— Verdade?

— Sim, estava arrumando meus documentos antigos, nesse armário, e encontrei nossa última conta.

— Que conta?

— A da avenida Henri-Martin.

— Como? Ainda guarda essa papelada? Para quê?

Instalaram-se os três numa saleta que se comunicava à sala redonda por um amplo arco.

— Será Lupin? — pensou Sholmes, invadido por uma dúvida súbita.

Sim, com toda a certeza era ele, mas era outro homem também, que se parecia com Arsène Lupin em certos aspectos e que, não obstante, conservava sua individualidade singular, seus traços pessoais, seu olhar, a cor do cabelo...

De terno, gravata branca, camisa modelando o torso, ele falava alegremente, contando histórias das quais o Sr. Destange ria com gosto e que desenhavam um sorriso nos lábios de Clotilde. E cada um daqueles sorrisos parecia uma recompensa que Arsène Lupin buscava e se alegrava de ter obtido. Redobrava o espírito de alegria e, ao som daquela voz alegre e franca, o rosto de Clotilde se deleitava e perdia a expressão de frieza que a tornava tão pouco simpática.

— Eles se amam, pensou Sholmes, mas o que pode ter em comum entre Clotilde Destange e Maxime Bermond? Ela sabe que Maxime Bermond não é outro senão Arsène Lupin?

Até as sete horas, escutou ansiosamente. Em seguida, tomando todas as precauções, desceu e atravessou o lado do aposento onde não corria o risco de ser visto da sala.

Do lado de fora, Sholmes certificou-se de que não havia nem automóvel nem carruagem no ponto, e afastou-se pelo bulevar Malesherbes. Porém, numa rua adjacente, colocou nas costas o paletó que carregava no braço, deformou seu chapéu, se aprumou e, voltou até a praça, onde esperou, os olhos pregados na porta da mansão Destange.

Arsène Lupin saiu quase imediatamente, e, pelas ruas de Constantinopla e de Londres, dirigiu-se ao centro de Paris. Cem passos atrás dele, caminhava Herlock.

Minutos inebriantes para o inglês! Farejou o ar ansiosamente, como um bom cão que cheira a pista fresca! De fato, parecia-lhe uma coisa infinitamente agradável seguir seu adversário. Não era mais ele sendo vigiado, e sim Arsène Lupin, o invisível Arsène Lupin. Segurava-o, por assim dizer, pela ponta de seu olhar, como se o prendesse com amarras impossíveis de romper. E se deleitava, observando, entre os pedestres, aquela presa que lhe pertencia.

Mas um fenômeno atípico não demorou a impressioná-lo no intervalo que o separava de Arsène Lupin: outras pessoas avançavam na mesma direção, em especial dois jovens de chapéu redondo, na calçada da esquerda, e outros dois, de boné e cigarro na boca, na calçada da direita.

Talvez tenha sido apenas uma coincidência. Mas Sholmes, contudo, espantou-se mais ainda quando, tendo Lupin entrado numa tabacaria, os quatro homens pararam — e mais ainda quando tornaram a andar ao mesmo tempo que ele, porém separados agora, cada qual evoluindo do seu lado pela Chaussée d'Antin.

— Maldição, pensou Sholmes!

A sensação de que outros estavam no rastro de Arsène Lupin, de que outros lhe arrebatavam não a glória — preocupava-se pouco com isso —, mas o prazer imenso, a ardente volúpia de, sozinho, derrotar o mais temível inimigo que jamais havia encontrado, essa ideia o exasperava. No entanto, era impossível que se enganasse, os homens tinham o ar displicente, o ar excessivamente natural daqueles que, embora regulando seu passo ao de outra pessoa, não querem ser notados.

— Ganimard saberia mais do que diz saber? — murmurou Sholmes. — Estará me fazendo de bobo?

Ele queria abordar um dos quatro indivíduos, a fim de tirar aquilo a limpo. Porém, nas proximidades do bulevar, temeu perder Lupin e apertou o passo. Flagrou-o subindo a escada do restaurante húngaro, na esquina da rua Helder. A porta estava aberta, de maneira que Sholmes, sentado num banco do bulevar, do outro lado da rua, viu-o ocupando um lugar numa mesa luxuosamente posta, e onde já se encontravam três senhores de terno e duas senhoras muito elegantes, que o receberam com simpatia.

Herlock olhou em volta procurando os quatro e os viu, espalhados em grupos, ouvindo a orquestra cigana de um café próximo. Estranhamente, eles não pareciam estar lidando com Arsène Lupin, mas muito mais com as pessoas ao seu redor.

De repente, um deles tirou um cigarro do bolso e se aproximou de um senhor de sobrecasaca e cartola. O cavalheiro ofereceu a brasa do charuto e Herlock teve a impressão de que eles estavam conversando, tempo mais do que o necessário para acender um cigarro. Finalmente, o cavalheiro subiu os degraus da varanda e olhou para a sala de jantar. Percebendo Lupin, ele deu um passo à frente, conversou com ele por alguns momentos, então escolheu uma mesa próxima, e Herlock percebeu que esse senhor não era outro senão o mesmo da avenida Henri-Martin.

Então ele entendeu. Não apenas Arsène Lupin não era seguido, mas esses homens faziam parte de sua gangue! Esses homens estavam cuidando de sua segurança!

Eram seus guarda-costas, sua escolta atenta. Onde o mestre estava em perigo, os cúmplices estavam lá, prontos para alertá-lo, prontos para defendê-lo. Cúmplices dos quatro indivíduos! O cúmplice do cavalheiro de sobrecasaca!

Um arrepio percorreu o inglês. Seria possível que não conseguisse jamais capturar aquela criatura inacessível? Que potência ilimitada representava tal associação, dirigida por tal líder!

Arrancou uma folha da caderneta, escreveu a lápis algumas palavras, que enfiou num envelope, e disse a um rapaz de uns quinze anos que estava deitado no banco:

— Ei, rapaz, pegue um coche e leve essa carta à taberna suíça, na praça do Châtelet. E depressa...

Deu-lhe uma moeda de cinco francos. O rapaz desapareceu.

Meia hora se passou. Mais gente chegara, e só de tempos em tempos Sholmes avistava os comparsas de Lupin. Mas alguém roçou nele e lhe disse ao ouvido:

— Muito bem! O que há, Sr. Sholmes?

— É o Sr. Ganimard?

— Sim, recebi seu bilhete na taberna. O que há?

— Ele está aqui.

— O que está dizendo?

— Ali... no fundo do restaurante... Chegue mais para a direita... Está vendo?

— Não.

— Servindo champanhe à moça ao seu lado...

— Mas não é ele.

— É ele.

— Pois eu lhe respondo... Ora! Pensando bem... Com efeito, poderia ser... Ah, o patife! Como é parecido! — murmurou Ganimard ingenuamente. — E os outros, cúmplices?

— Não, quem está ao seu lado é lady Cliveden, a outra é a duquesa De Cleath e, em frente, o embaixador da Espanha em Londres.

Ganimard deu um passo. Herlock o reteve.

— Que imprudência! O senhor está sozinho.

— Ele também.

— Não, ele tem homens montando guarda no bulevar... sem falar no interior desse restaurante, aquele senhor...

— Mas, quando eu tiver posto as mãos no colarinho de Arsène Lupin, terei toda a sala a meu favor, todos os garçons.

— Eu preferiria alguns agentes.

— Aí sim é que os amigos de Arsène Lupin abririam o olho... Não, veja, Sr. Sholmes, não temos escolha.

Ele tinha razão, Sholmes admitiu. Era preferível se arriscar e se aproveitar de circunstâncias excepcionais. Apenas recomendou a Ganimard:

— Tente ser reconhecido o mais tarde possível.

E ele mesmo se esgueirou para trás de uma banca de jornais, sem perder de vista Arsène Lupin, que, lá dentro, inclinado sobre sua amiga, sorria.

O inspetor atravessou a rua, mãos nos bolsos, como alguém que caminha reto à sua frente. Mas, assim que atravessou a rua e chegou à calçada oposta, deu um pulo e subiu rapidamente a escada da entrada.

Um assobio estridente... Ganimard encontrou o mordomo plantado subitamente na porta, barrando a passagem, e que o empurrou com indignação, como teria feito com um intruso cuja aparência desonrasse o luxo do restaurante. Ganimard vacilou. No mesmo instante, o senhor de sobrecasaca saiu. Tomou o partido do inspetor, e ambos, o mordomo e ele, discutiram violentamente, ambos agarrados a Ganimard, um segurando-o, o outro empurrando-o, e de tal maneira que, apesar de todos os seus esforços, apesar de todos os seus protestos furiosos, o inspetor foi escorraçado até o pé da escada.

Logo se formou um tumulto, juntando muita gente ao redor. Dois policiais, atraídos pelo barulho, tentaram atravessar a massa, mas uma resistência imobilizou-os, sem que conseguissem se desvencilhar dos ombros que os espremiam, das costas que os impediam de avançar...

De repente, num passe de mágica, dão-lhes passagem... O mordomo, compreendendo seu erro, confunde-se em desculpas, o senhor de sobrecasaca desiste de defender o inspetor, a multidão se afasta, os policiais passam, Ganimard investe na direção da mesa onde estão os seis convidados... Mas agora só há cinco... Ele olha à sua volta... nenhuma outra saída além da porta.

— A pessoa que estava aqui neste lugar? — gritou o inspetor para os cinco espantados. — Sim, os senhores eram seis... Onde está a sexta pessoa?

— O Sr. Destro?

— Claro que não, Arsène Lupin!

Um garçom se aproxima:

— Um senhor acaba de subir para o mezanino.

Ganimard se precipita. O mezanino é composto de salas particulares e possui uma saída especial para o bulevar!

— Vá então procurá-lo agora! — gritou Ganimard. — Ele deve estar longe!

Não tão longe assim. Estava a duzentos metros no máximo, no ônibus Madeleine- -Bastillle, que avançava tranquilamente no ritmo lento de seus três cavalos, atravessando a praça da Ópera e seguindo pelo bulevar des Capucines. No primeiro andar do ônibus, dois homens de chapéu-coco estavam alertas. Na parte de cima, no alto da escada, cochilava um homem: Herlock Sholmes.

Com a cabeça balançando, embalado pelo movimento do veículo, o inglês monologava:

— Se o meu bom Wilson me visse, como estaria orgulhoso de seu chefe...! Bah...! Era fácil prever pelo apito que a partida estava perdida e que não havia nada melhor a fazer senão vigiar os arredores do restaurante. Mas, pensando bem, a vida fica bem interessante com esse homem terrível por perto!

No ponto final, Herlock, tendo se debruçado, viu Arsène Lupin passando em frente aos seus guarda-costas e o ouviu murmurar:

— Na Étoile.

— Na Étoile, perfeito, encontro marcado. Lá estarei. Deixemos que ele fuja nesse táxi, e sigamos de coche os dois comparsas.

Os dois comparsas seguiram a pé, dirigindo-se efetivamente para a Étoile, e tocaram à porta de uma casa estreita, situada no número 40 da rue Chalgrin. Na esquina dessa rua pouco frequentada, Sholmes pôde se esconder na sombra de uma reentrância.

Uma das duas janelas do térreo se abriu, um homem de chapéu redondo fechou as venezianas. Acima das venezianas, um painel da janela se iluminou.

Depois de dez minutos, um senhor veio tocar a essa mesma porta, depois, imediatamente depois, outro indivíduo. E, por fim, chegou um táxi de onde Sholmes viu descerem duas pessoas; Arsène Lupin e uma mulher enrolada numa capa e um véu grosso.

— A mulher loira, sem dúvida alguma! — resmungou Sholmes, enquanto o táxi se afastava.

Ele deixou passar um instante, aproximou-se da casa, subiu no parapeito da janela e, escalando na ponta dos pés, conseguiu, através da fresta, dar uma espiada para dentro do aposento.

Arsène Lupin, recostado na lareira, falava com animação. Em pé à sua volta, os outros o escutavam atentamente. Dentre eles, Sholmes reconheceu o senhor de sobrecasaca e julgou reconhecer o mordomo do restaurante. Quanto à mulher loira, estava de costas, sentada numa poltrona.

"Estão debatendo... Os acontecimentos desta noite os inquietaram e sentem a necessidade de deliberar." Pensou.

— Ah! Se der para capturar todos de uma vez...

Um dos cúmplices se mexeu, por isso ele pulou para o chão e se escondeu numa sombra. O senhor de sobrecasaca e o mordomo saíram da casa. Imediatamente o primeiro andar se iluminou, alguém puxou as venezianas das janelas e a escuridão tomou conta dos dois andares.

"Ela e ele permaneceram no térreo. Os dois cúmplices moram no primeiro andar."

— concluiu Herlock.

Ele esperou parte da noite sem se mover, temendo que Arsène Lupin fosse embora durante sua ausência. Às quatro horas, vendo dois policiais no final da rua, ele se juntou a eles, explicou-lhes a situação e passou para eles a vigilância da casa.

Em seguida, foi para a casa de Ganimard, na rua Pergolèse, e tirou-o da cama. — Ainda o tenho.

— Arsène Lupin?

— Sim.

— Se o tem como ainda há pouco, melhor voltar a dormir. Por via das dúvidas, vamos para a delegacia.

Foram até a rua Mesnil e de lá para a casa do delegado, o Sr. Decointre. Em seguida, acompanhados de meia dúzia de homens, voltaram à rua Chalgrin.

— Alguma novidade? — perguntou Sholmes aos dois guardas de plantão.

— Nada.

O dia começava a clarear quando, tomadas as devidas precauções, o delegado tocou a campainha e se dirigiu à guarita da portaria. Assustada com a invasão, uma mulher, toda trêmula, respondeu que não havia moradores no térreo.

— Como, nenhum morador? — estranhou Ganimard.

— Claro que não, são os do primeiro andar, os Srs. Leroux... Eles mobiliaram o térreo para parentes do interior... — Um homem e uma mulher?

— Sim.

— Que vieram ontem com eles?

— Pode ser... eu estava dormindo... No entanto, não creio, eis a chave, eles não pediram...

Com essa chave, o comissário abriu a porta que se encontrava do outro lado do corredor. No térreo só havia dois cômodos: estavam vazios.

— Impossível! — proferiu Sholmes. — Eu os vi, ela e ele.

O comissário riu:

— Não duvido, mas não estão mais aqui.

— Subamos ao primeiro andar. Devem estar lá.

— No primeiro andar moram os Srs. Leroux.

— Interrogaremos os Srs. Leroux.

Todos subiram a escada, o delegado tocou a campainha. No segundo toque, um indivíduo, que não era outro senão um dos guarda-costas, apareceu, em trajes informais e com ar furioso.

— Que isso? Que barulheira... isso é jeito de acordar as pessoas?

Mas calou-se, confuso:

— Deus me perdoe... será que estou sonhando? É o Sr. Decointre...! E o senhor também, Sr. Ganimard? O que houve para estarem aqui?

Uma gargalhada formidável irrompeu. Ganimard prendia o riso, numa crise de gargalhada que o fazia se contorcer e lhe congestionava o rosto.

— É você, Leroux... — gaguejava. — Que piada... Leroux, cúmplice de Arsène Lupin... Ah, é de morrer de rir... E seu irmão, Leroux, está por perto? — Edmond, onde está você? É o Sr. Ganimard que veio nos fazer uma visita... Apareceu outro sujeito, fazendo redobrar a alegria de Ganimard.

— Não acredito! Quem poderia imaginar! Ah, meus amigos, vocês estão em maus lençóis... Quem diria? Por sorte, o velho Ganimard está de olho e, mais que isso, tem amigos para ajudá-lo... amigos que vêm de longe!

E, voltando-se para Sholmes, apresentou:

— Victor Leroux, inspetor da Sûreté, um dos bons entre os melhores da brigada de ferro... Edmond Leroux, escrivão do serviço antropométrico...

Capítulo 5
UM SEQUESTRO

Herlock Sholmes não vacilou. Protesto? Acusar aqueles dois homens? Desnecessário. A menos que tivesse provas, o que não tinha, e não queria perder seu tempo procurando-as, ninguém acreditaria nele.

Tentava não demonstrar sua raiva e desapontamento diante de Ganimard. Cumprimentou respeitosamente os irmãos Leroux, e retirou-se.

No corredor, andou na direção de uma porta baixa que indicava a entrada da adega, e recolheu uma pequena pedra preciosa de cor vermelha: era uma granada.

Do lado de fora, voltando-se, leu, perto do número 40 do prédio, esses dizeres: *Lucien Destange, arquiteto, 1877*. Mesma inscrição no número 42.

— Outra saída dupla, pensou. O 40 e o 42 comunicam-se. Como não pensei nisso? Eu deveria ter ficado com os dois guardas esta noite.

Disse a esses homens:

— Duas pessoas saíram por esta porta durante minha ausência, não é?

E apontava a porta do prédio ao lado.

— Sim, um homem e uma mulher

Ele agarrou o braço do inspetor-chefe e o arrastou:

— Sr. Ganimard, o senhor riu o bastante para eu me arrepender pelo pequeno incômodo que lhe causei...

— Oh, fique certo de que não o culpo de nada.

— Mas as melhores piadas não duram para sempre, e sou da opinião de que devemos dar-lhes um fim.

— Concordo.

— Estamos no sétimo dia. Dentro de três dias, preciso estar em Londres.

— É verdade!

— Estarei lá, e peço que esteja preparado na noite de terça para quarta-feira.
— Para uma incursão do mesmo gênero? — perguntou Ganimard.
— Sim, com certeza.
— E como vai acabar?
— Com a captura de Lupin.
— Acredita nisso?
— Juro pela minha honra, senhor.

Sholmes despediu-se e foi descansar um pouco no hotel mais próximo. Depois disso, fortalecido e confiante, voltou à rua Chalgrin, deslizou dois luíses na mão da mulher da portaria, certificou-se de que os irmãos Leroux haviam partido, soube que a casa pertencia a um tal Sr. Harmingeat e, munido de uma vela, desceu à adega pela portinhola junto à qual recolhera a pedrinha de granada.

No pé da escada, recolheu outra de forma idêntica.

— Eu não estava enganado, pensou, é por aqui que se comunicam... Vejamos, minha chave-mestra abre o compartimento reservado ao morador do térreo? Sim... perfeito... examinemos essas estantes de vinhos. Eis alguns pontos em que o pó se espalhou... e, no chão, pegadas...

Um leve ruído o fez aguçar mais os ouvidos. Rapidamente empurrou a porta, apagou a vela e escondeu-se atrás de uma pilha de caixotes vazios. Depois de alguns segundos, observou que uma das estantes de ferro girava lentamente, arrastando com ela toda a borda da parede na qual estava grudada. A luz de uma lanterna iluminou ambiente. Um homem entrou.

Estava ajoelhado, procurando alguma coisa no chão. Com a ponta dos dedos, remexia no pó, levantando-se várias vezes e atirando alguma coisa numa caixa de papelão que segurava com a mão esquerda. Em seguida, apagou o vestígio de seus passos, assim como as pegadas deixadas por Lupin e a mulher loira, e se aproximou da estante.

Deu um grito rouco e desabou. Sholmes pulara em cima dele. Foi coisa de um minuto, e da maneira mais normal do mundo. O homem, quando viu, já se encontrava estendido no solo, tornozelos e punhos amarrados.

O inglês se debruçou.

— Quanto quer para dizer o que sabe?

O homem respondeu com um sorriso tão irônico que Sholmes compreendeu a inutilidade da pergunta.

Ele se contentou em vasculhar os bolsos de seu prisioneiro, mas só encontrou um molho de chaves, um lenço e a caixinha de papelão que o indivíduo carregava, contendo uma dúzia de pedrinhas de granada iguais às que Sholmes recolhera.

Além disso, o que ia fazer com aquele homem? Esperar que seus amigos viessem em seu socorro e entregá-los à polícia? Que vantagem extrairia disso contra Lupin?

Hesitava quando observou o que estava escrito na caixa de papelão. Estampava o seguinte endereço: "Léonard, joalheiro, rua de la Paix."

Ele abandonou o homem. Empurrou de volta a estante de vinhos e saiu da casa. De uma agência de correio, avisou o Sr. Destange, por telegrama, que não poderia ir no dia seguinte. Em seguida, foi até o joalheiro, ao qual entregou as granadas.

— A senhora me pediu para lhe entregar essas pedras. Elas se soltaram de uma joia que ela comprou aqui.

Sholmes acertara. O comerciante respondeu:

— De fato... essa senhora me telefonou. Logo estará aqui, e virá pessoalmente.

Somente às cinco horas, na calçada, Sholmes percebeu uma mulher envolta num espesso véu, cujo aspecto lhe pareceu suspeito. Pelo vidro observou-a colocando no balcão uma joia antiga, ornamentada com granadas.

Ela foi embora quase imediatamente, fez compras a pé, subiu para o lado de Clichy e circulou por ruas que o inglês não conhecia. Ao anoitecer ele perseguiu a mulher até um prédio de cinco andares, com dois blocos de apartamentos e, por conseguinte, com muitos moradores. No segundo andar, ela parou e entrou. Dois minutos mais tarde, o inglês tentava a sorte e, uma depois da outra, testava com cautela as chaves do molho de que se apoderara. A quarta rodou na fechadura.

Mesmo na penumbra, percebeu cômodos completamente vazios, como os de um apartamento desabitado, por isso daí as portas estavam abertas. Mas no fim de um corredor surgiu a luz de uma luminária. Tendo se aproximado na ponta dos pés, ele viu, pelo espelho que separava a sala de um quarto contíguo, a mulher de véu tirando sua roupa e seu chapéu. Colocou-os sobre o único assento daquele quarto e vestiu um penhoar de veludo.

Ele também a viu ir em direção à lareira e apertar o botão de uma campainha elétrica. A metade do painel que se estendia à direita da lareira se moveu, deslizou no próprio plano da parede e entrou na outra metade do painel.

Assim que a abertura ficou larga o suficiente, a mulher passou... e desapareceu, carregando a luminária.

O sistema era simples. Sholmes imitou a mulher.

Andou no escuro, tateando. Seu rosto esbarrou em coisas moles. Com a chama de um fósforo, constatou que se encontrava num pequeno compartimento cheio de vestidos e roupas em cabides. Abriu passagem e parou em frente ao batente de uma porta fechada por uma cortina ou tapeçaria.

Consumido seu fósforo, avistou uma luz que atravessava a trama do pano velho. Então observou.

Ali estava a mulher loira, sob seus olhos, ao alcance de sua mão.

Ela apagou a lamparina e ligou uma lâmpada. Pela primeira vez, Sholmes pôde ver seu rosto em plena luz. Estremeceu. A mulher que ele terminara surpreendendo após tantos desvios e manobras não era outra senão Clotilde Destange.

Clotilde Destange, a assassina do barão d'Hautrec e a ladra do diamante azul! Clotilde Destange, a misteriosa amiga de Arsène Lupin! A mulher loira, enfim.

— É óbvio — pensou — "não passo de um estúpido. Porque a amiga de Lupin é loira e Clotilde, morena, não pensei em aproximar as duas mulheres uma da outra!

Como se a mulher loira pudesse permanecer loira após o assassinato do barão e o roubo do diamante!"

Sholmes via uma parte do aposento, elegante saleta feminina, decorada com cortinas claras e quinquilharias. Um divã de mogno se estendia um degrau abaixo. Clotilde estava sentada ali, imóvel, com a cabeça entre as mãos. Depois de um instante, ele percebeu que a mulher chorava. Lágrimas corriam por suas faces pálidas, caíam gota a gota sobre o veludo de seu penhoar. E outras lágrimas sucediam-se, como se brotadas de uma fonte inesgotável. Era uma cena muito triste, o desespero melancólico e resignado que se exprimia pelo lento fluxo de lágrimas.

Mas uma porta se abriu. Arsène Lupin entrou.

Eles se entreolharam durante um longo tempo, sem uma palavra, depois ele se ajoelhou diante dela, recostou a cabeça em seu peito e envolveu-a em seus braços. Havia no gesto da mulher uma ternura profunda. Um terno silêncio os unia e as lágrimas corriam menos abundantes.

— Eu queria tanto fazê-la feliz! — ele murmurou.

— Sou feliz.

— Não, uma vez que está chorando... Suas lágrimas me deixam derrotado, Clotilde.

Apesar de tudo, ela se deixava seduzir por aquela voz afetuosa e escutava, ávida de esperança. Um sorriso relaxou sua fisionomia, porém um sorriso ainda triste! Ele suplicou:

— Não fique triste, Clotilde, você não pode ficar assim.

Ela lhe mostrou as mãos brancas, delicadas e macias e disse gravemente:

— Enquanto essas mãos forem minhas, serei triste, Maxime.

— Mas por quê?

— Elas mataram.

Maxime exclamou:

— Cale-se! Não pense nisso... O passado está morto.

E beijava suas mãos pálidas, enquanto ela o fitava com um sorriso, como se cada beijo apagasse um pouco a terrível lembrança.

— Você precisa me amar, Maxime, porque nenhuma mulher o amará como eu. Para agradá-lo, agi, e ainda ajo, não segundo suas ordens, mas segundo seus desejos. Executo atos contra os quais todos os meus instintos e minha consciência se rebelam, mas não posso resistir... Tudo que faço, faço mecanicamente, porque lhe é útil e porque você quer... e estou pronta a recomeçar sempre.

Ele falou amargamente:

— Ah! Clotilde, por que a envolvi em minha vida de aventuras? Eu deveria ter permanecido o Maxime Bermond que você amou durante cinco anos, e não a ter apresentado... ao outro homem que sou.

Ela disse baixinho:

— Também amo esse outro homem, e não me arrependo de nada.

— Sim, você tem saudade do seu passado. Não tenho saudade de nada quando você está comigo! — ela disse, apaixonadamente. — Não há mais pecado, não há mais crime quando meus olhos o veem. O que me importa ser infeliz longe de você e sofrer, e chorar, e ter horror a tudo que faço... seu amor apaga tudo... aceito tudo... mas você precisa me amar!

— Não a amo por imposição, Clotilde, mas simplesmente porque a amo.

— Tem certeza disso? — disse ela com toda a confiança.

— Tenho certeza tanto por mim como por você. Minha vida, contudo, é violenta e agitada, e nem sempre posso lhe dedicar o tempo que gostaria.

Ela se inquietou imediatamente.

— O que há? Um novo perigo?

— Pois bem, ele está nos vigiando.

— Sholmes?

— Sim. Foi ele que colocou Ganimard no episódio do restaurante húngaro. Foi ele que colocou, esta noite, os dois agentes na rua Chalgrin. Tenho a prova disso.

Ganimard vasculhou a casa esta manhã e Sholmes o acompanhava. Além disso...

— Além disso?

— Muito bem, tem outra coisa: sentimos a falta de um de nossos homens, Jeanniot.

— O porteiro?

— Sim.

— Mas fui eu que o mandei hoje de manhã à rua Chalgrin, para recolher as pedrinhas de granada que haviam caído do meu broche.

— Não há dúvida, Sholmes pegou-o na armadilha.

— Não pode ser. As granadas foram levadas ao joalheiro da rua de la Paix.

— Então, aonde ele foi depois?

— Oh, Maxime, estou com pavor.

— Não há motivos para se assustar. Mas admito que a situação é muito grave. O que ele sabe? Onde se esconde? Sua força está no isolamento. Nada pode traí-lo.

— O que você pretende fazer?

— Faz tempo que resolvi mudar meu esconderijo e transferi-lo para lá, para o reduto inviolável que você conhece. A intervenção de Sholmes apressa as coisas. Quando um homem como ele segue uma pista, devemos considerar que chegará ao fim dela. Portanto, preparei tudo. Depois de amanhã, quarta-feira, a mudança será executada. Ao meio-dia, estará concluída. Às duas horas, eu mesmo poderei abandonar o local, após retirar os últimos vestígios do nosso refúgio, o que não é pouco.

— Daqui até lá?

— Não devemos nos ver e ninguém deve nos ver, Clotilde. Não saia. Não temo por mim. Temo tudo quando se trata de você.

— É impossível Sholmes chegar até mim.

— Com ele tudo é possível, e estou desconfiado. Ontem, quando quase fui surpreendido por seu pai, eu vasculhava o armário onde está os antigos registros do Sr. Destange. Há um perigo ali. Como em todo lugar. Enxergo o inimigo se aproximando cada vez mais. Sinto que ele nos vigia. Esta é uma daquelas intuições que nunca falham.

— Nesse caso — ela disse —, vá, Maxime, e não pense mais na minha tristeza. Serei forte e esperarei até que o perigo esteja distante. Adeus, Maxime.

Beijou-o apaixonadamente. Então ela o empurrou para fora. Sholmes ouviu o som de suas vozes se afastando.

Corajosamente, animado pela mesma necessidade de agir, contra tudo e contra todos, que o estimulava desde a véspera, o detetive entrou numa saleta que terminava em uma escada. Contudo, quando se preparava para descer, ouviu o barulho de uma conversa, e ele preferiu seguir por um corredor que o levou a outra escada. Ao descê-la, ficou bastante surpreso ao ver móveis que já conhecia. Uma porta estava entreaberta. Entrou num grande aposento circular. Era a biblioteca do Sr. Destange.

— Perfeito! — murmurou. — Compreendo tudo. A saleta de Clotilde, isto é, da mulher loira, comunica-se com um dos apartamentos do prédio vizinho, e esse prédio vizinho tem sua saída não para a praça Malesherbes, mas para uma rua adjacente, a rua Montchanin, ao que me lembre... Admirável! E agora sei como Clotilde Destange encontra seu bem-amado, mantendo ao mesmo tempo a fama de uma pessoa discreta. E sei também como Arsène Lupin surgiu ao meu lado, ontem, ali naquela galeria: deve haver uma outra comunicação entre o apartamento vizinho e essa biblioteca... E concluía:

— Mais uma casa misteriosa. Mais uma vez, sem dúvida, arquiteto Destange! Agora tenho que aproveitar minha presença aqui para verificar o conteúdo do armário... e para me informar sobre as outras casas misteriosas.

Sholmes subiu até a galeria e se encondeu atrás das cortinas divisórias. Ficou até o fim da noite. Um criado veio apagar as lâmpadas elétricas. Uma hora mais tarde, o inglês ligou sua lanterna e se dirigiu ao armário.

Como ele já sabia, lá estavam guardados os antigos papéis do arquiteto, pastas, projetos, livros de contabilidade. Mais ao fundo, via-se uma série de registros, classificados por ordem de antiguidade. Pegou alternadamente os dos últimos anos e foi direto à página do sumário, mais especificamente à letra H. Por fim, tendo descoberto a palavra Harmingeat, acompanhada do número 63, reportou-se à página 63 e leu: Harmingeat, rua Chalgrin, 40.

Seguiam-se detalhes de obras executadas para esse cliente, com vistas à instalação de uma calefação em seu prédio. E, à margem, esta anotação: Ver o dossiê M.B.

— Agora já sei, pensou, preciso do dossiê M.B. Nele, saberei o domicílio atual do Sr. Lupin."

Foi na manhã seguinte, na segunda metade de um livro de registro, que descobriu esse notável dossiê.

Tinha quinze páginas. Uma reproduzia aquela dedicada ao Sr. Harmingeat da rua Chalgrin. Outra detalhava as obras executadas pelo Sr. Vatinel, proprietário, rua Clapeyron, 25. Outra estava reservada ao barão d'Hautrec, avenida Henri-Martin, 134, outra ao castelo De Crozon, e as outras onze a diferentes proprietários em Paris.

Sholmes copiou a lista de onze nomes e onze endereços, recolocou as coisas no lugar, abriu uma janela e saltou para uma praça deserta, tendo o cuidado de empurrar as portinholas.

Em seu quarto de hotel, acendeu o cachimbo, cercando-se por nuvens de fumaça, e estudou as conclusões que era possível tirar do dossiê M.B., ou, sendo mais claro, do dossiê Maxime Bermond, vulgo Arsène Lupin.

Às oito horas, enviava este telegrama a Ganimard:

"Esta manhã, sem dúvida, passarei na rua Pergolèse e lhe entregarei uma pessoa cuja captura é da mais alta importância. Em todo caso, esteja em casa esta noite e amanhã, quarta-feira, até o meio-dia, e tenha uns trinta homens à disposição."

Em seguida, escolheu um táxi no bulevar, cujo motorista lhe agradou por sua fisionomia alegre e pouco inteligente, e dirigiu-se à praça Malesherbes, cinquenta passos à frente do prédio de Destange.

— Feche o carro, meu rapaz — ele instruiu ao motorista —, levante a gola de seu agasalho, pois está frio, e espere pacientemente. Dentro de uma hora e meia, ligue o motor. Assim que eu voltar, iremos à rua Pergolèse.

No momento de entrar no prédio, teve uma última dúvida. Não era um erro capturar assim a mulher loira, enquanto Lupin terminava seus preparativos de partida? E não teria sido melhor, com o auxílio da lista dos prédios, procurar primeiro a residência de seu adversário?

"Quando a mulher loira for minha prisioneira, serei senhor da situação", pensou.

E tocou a campainha.

O Sr. Destange já estava na biblioteca. Trabalharam por um momento e Sholmes procurava um pretexto para subir até o quarto de Clotilde quando a moça entrou, cumprimentou o pai, sentou-se na saleta e começou a escrever.

De onde estava, Sholmes a via, debruçada sobre a mesa, meditando de tempos em tempos. Esperou um pouco, depois, pegando um volume, disse ao Sr. Destange:

— Aqui está o livro que a senhorita Destange me pediu.

Foi até a saleta e ficou diante de Clotilde de maneira que seu pai não pudesse vê-lo e anunciou:

— Sou o Sr. Stickmann, novo secretário do Sr. Destange.

— Meu pai mudou de secretário?

— Sim, senhorita, e eu desejava lhe falar.

— Queira sentar-se, senhor, terminei o que estava fazendo.

Acrescentou algumas palavras à carta, assinou-a, lacrou o envelope, empurrou seus papéis, apertou a campainha de um telefone, ligou para sua costureira, pediu a esta que apressasse a conclusão de um casaco de viagem do qual tinha necessidade urgente e, por fim, voltando-se para Sholmes:

— Sou toda sua, senhor. Mas nossa conversa não pode se dar na presença do meu pai?

— Não, senhorita, e suplico inclusive que não fale alto. É preferível que o Sr. Destange não nos ouça.
— Para quem é preferível?
— Para a senhorita.
— Não admito conversa que meu pai não possa ouvir.
— Mas terá de admitir esta.
Levantaram-se ambos, cruzando os olhares. Ela disse:
— Fale, senhor.
Ainda em pé, ele começou:
— Vai me perdoar se me engano sobre alguns pontos secundários. O que tenho certeza é a exatidão geral dos incidentes que exponho.
— Menos rodeios, por favor.
Nessa interrupção, ele percebeu que a jovem estava ressabiada, e prosseguiu.
— Assim seja, irei direto ao ponto. Há cinco anos, o senhor seu pai teve a oportunidade de conhecer o Sr. Maxime Bermond, o qual se apresentou a ele como empreiteiro... ou arquiteto, não saberei precisar. O fato é que o Sr. Destange se apegou a esse rapaz e, como sua saúde não lhe permitia mais cuidar dos negócios, confiou ao Sr. Bermond a execução de alguns projetos que ele aceitara por parte de antigos clientes e que pareciam em consonância com as aptidões de seu colaborador.
Herlock calou-se. Pareceu-lhe que a palidez da jovem se acentuara. Foi, contudo, com a maior calma que ela disse:
— Não conheço os fatos que o senhor me relata, cavalheiro, e sobretudo não vejo em que podem me interessar.
— O que lhe diz respeito vem agora, senhorita, é que o nome verdadeiro do Sr. Maxime Bermond, e a senhorita sabe tão bem quanto eu, é Arsène Lupin.
Ela desatou a rir.
— Não é possível! Arsène Lupin? O Sr. Maxime Bermond se chama Arsène Lupin?
— Como tenho a honra de lhe dizer, senhorita, e como a senhorita se recusa a me compreender com meias palavras, acrescento que Arsène Lupin encontrou aqui, para a realização de seus projetos, uma cúmplice cega e... apaixonadamente devotada.
Ela se levantou e, sem emoção, ou pelo menos com tão pouca que Sholmes ficou impressionado com tamanho autocontrole, declarou:
— Não sei o propósito de sua conduta, senhor, e quero ignorá-lo. Então, por favor, não acrescente outra palavra e saia daqui.
— Nunca tive a intenção de lhe impor minha presença — respondeu Sholmes, tão sereno quanto ela. — Estou decidido, contudo, a não sair sozinho.
— E quem o acompanhará, senhor?
— A senhorita!
— Eu?
— Sim, senhorita, sairemos juntos desta casa, e me seguirá sem contestação, sem dizer uma palavra.

O que havia de estranho na cena era a calma absoluta dos dois adversários. Mais do que um duelo implacável entre duas vontades poderosas, diríamos, por suas atitudes, pelo tom de suas vozes, assistir à discussão educada de duas pessoas que não partilham a mesma opinião.

Na sala circular, através do grande arco, via-se o Sr. Destange manipulando seus livros.

Clotilde sentou-se de novo, encolhendo ligeiramente os ombros. Herlock puxou seu relógio.

— São dez e meia. Partimos dentro de cinco minutos.

— Caso contrário?

— Caso contrário, vou encontrar o Sr. Destange e lhe contar...

— O quê?

— A verdade. A vida mentirosa de Maxime Bermond e a vida dupla de sua cúmplice.

— De sua cúmplice?

— Sim, daquela que chamam de mulher loira, que foi loira.

— E que provas lhe dará?

— Levo-o à rua Chalgrin e mostro a passagem que Arsène Lupin, aproveitando-se das obras que dirigia, mandou seus homens fazerem entre o 40 e o 42, a passagem que serviu para vocês dois na noite da antevéspera.

— E depois?

— Depois levo o Sr. Destange à casa do Maître Detinan, descemos a escada de serviço pela qual a senhorita desceu com Arsène Lupin para escapar de Ganimard. E ambos procuraremos a comunicação sem dúvida análoga que existe com o prédio vizinho, prédio cuja saída dá para o bulevar des Batignolles e não para a rua Clapeyron.

— E depois?

— Depois levo o Sr. Destange ao castelo De Crozon e será fácil para ele, que sabe o tipo de obras executadas por Arsène Lupin por ocasião da restauração daquele castelo, descobrir as passagens secretas que seu falso assistente mandou os homens construírem. O Sr. Destange constatará que essas passagens permitiram à mulher loira introduzir-se, à noite, no quarto da condessa e lá pegar na lareira o falso diamante azul, depois, duas semanas mais tarde, introduzir-se no quarto do conselheiro Bleichen e esconder esse diamante azul em uma bolsinha... Ato bastante inusitado, admito, pequena vingança de mulher, talvez, não sei, isso não interessa.

— E depois?

— Depois — fez Herlock com uma voz mais grave —, levo o Sr. Destange ao número 134 da avenida Henri-Martin e vamos descobrir como o barão d'Hautrec...

— Cale-se... — balbuciou a jovem, com pavor. — Proíbo-o! Então ousa dizer que fui eu... me acusa...

— Acuso-a de ter matado o barão d'Hautrec.

— Não, não, isso é uma injúria.

— Matou o barão d'Hautrec, senhorita. Empregou-se na casa dele usando o nome de Antoinette Bréhat, com a finalidade de lhe roubar o diamante azul, e o matou.

Mais uma vez, arrasada, ela murmurou:

— Cale-se, senhor, eu lhe imploro. Uma vez que sabe tantas coisas, deve saber que não assassinei o barão.

— Eu não disse que o assassinou. O barão d'Hautrec era sujeito a acessos de loucura que só a irmã Auguste era capaz de controlar. Obtive esse detalhe dela mesma. Na ausência da irmã, ele deve ter agredido a senhorita e foi durante essa luta, para defender sua vida, que a senhorita o golpeou. Abalada com o que fez, a senhorita tocou a campainha e fugiu sem tirar do dedo de sua vítima o diamante azul que tinha ido pegar. Um instante depois, a senhorita auxiliada por um dos cúmplices de Lupin, que trabalhava na casa ao lado, transportava o barão para sua cama, arrumava novamente o quarto... mas sem ousar pegar o diamante azul. Portanto, repito, a senhorita não assassinou o barão. Por outro lado, foram de fato suas mãos que o golpearam.

Ela as havia cruzado sobre a testa, suas mãos esguias e pálidas, e assim conservou-as durante um longo tempo, imóveis. Por fim, revelou seu semblante de dor e indagou:

— É tudo que pretende dizer ao meu pai?

— Sim, e lhe direi que tenho como testemunhas a senhorita Gerbois, que reconhecerá a mulher loira, a irmã Auguste, que reconhecerá Antoinette Bréhat, e a condessa De Crozon, que reconhecerá a Sra. De Réal.

— O senhor não ousará — ela disse, recobrando o sangue-frio.

Ele se levantou e deu um passo na direção da biblioteca. Clotilde deteve-o:

— Aguarde um minuto, senhor.

Refletiu, e bastante calma, perguntou-lhe:

— O senhor é Herlock Sholmes, não é?

— Sim.

— O que quer de mim?

— O que eu quero? Iniciei um duelo com Arsène Lupin do qual devo sair vitorioso. Na expectativa de um desfecho que não deve demorar muito, suponho que um refém tão precioso como a senhorita me dê uma vantagem considerável sobre meu adversário. Logo, siga-me, senhorita, vou deixá-la com um de meus amigos. Assim que meu objetivo for alcançado, estará livre.

— Isso é tudo?

— É tudo, não faço parte da polícia do seu país e, como consequência, não estou aqui para fazer justiça.

Ela parecia determinada. No entanto, exigiu ainda um momento de trégua. Seus olhos se fecharam, e Sholmes a observou, subitamente tão tranquila, quase indiferente aos perigos.

Pensou o inglês:

"Será que se julga em perigo? Com certeza não, uma vez que Lupin a protege. Lupin é todo-poderoso. Lupin é infalível."

— Senhorita, lhe dei cinco minuto para partirmos, já passaram trinta.

— Posso subir ao meu quarto, senhor, e pegar minhas coisas?

— Se quiser, senhorita, posso esperá-la na rua Montchanin. Sou um excelente amigo do porteiro Jeanniot.

— Ah! o senhor sabe. Ela reagiu, com visível temor.

— Sei muitas coisas.

— Irei então.

Trouxeram-lhe seu chapéu e seu casaco, e Sholmes disse:

— Precisa dar ao Sr. Destange uma razão que explique nossa partida e que possa, caso necessário, explicar sua ausência durante alguns dias.

— Não será necessário. Logo estarei de volta.

Mais uma vez se desafiaram com o olhar, ambos irônicos e sorrindo.

— Como confia nele! Sholmes exclamou.

— Cegamente.

— Tudo que ele faz é certo, não é? Tudo que ele quer se realiza. E a senhorita aprova tudo e está disposta a tudo por ele.

— Amo-o — ela respondeu, num impulso de paixão.

— E acredita que ele a salvará?

Ela encolheu os ombros e, indo até o seu pai, preveniu-o:

— Vou lhe roubar o Sr. Stickmann. Vamos à Biblioteca Nacional.

— Volta para almoçar?

— Talvez.. ou melhor, não... mas não se preocupe...

Determinada, declarou a Sholmes:

— Vou segui-lo, senhor.

— Sem subterfúgios?

— De olhos fechados.

— Se tentar escapar, eu telefono, grito, prendem a senhorita e levam-na para a prisão. Não se esqueça de que a mulher loira é acusada.

— Juro pela minha honra que não farei nada para escapar.

— Acredito na senhorita.

Juntos, como ele ordenara, deixaram o prédio.

Na praça, o carro estava estacionado, voltado para a direção oposta. Viam-se as costas do motorista e seu boné, que praticamente cobria a gola do casaco. Aproximando-se, Sholmes ouviu o ronco do motor. Abriu a porta, pediu a Clotilde que entrasse e sentou-se ao seu lado.

O carro arrancou bruscamente, alcançou os bulevares marginais, a avenida Hoche, a avenida de la Grande-Armée.

Herlock reviu seus planos, pensativamente:

"Ganimard está em casa... deixo a moça em suas mãos... Conto para ele quem é a moça? Não, ele a levaria direto à delegacia, o que atrapalharia tudo. Quando ficar sozinho, consulto a lista do dossiê M.B. e vou à caça. E hoje à noite, ou no mais tardar amanhã de manhã, encontro Ganimard, como combinado, e lhe entrego Arsène Lupin e seu bando..."

Feliz por sentir finalmente o objetivo ao seu alcance e ver que nenhum obstáculo sério o separava dele. Cedendo a uma necessidade de expansão que contrastava com sua natureza, disse:

— Desculpe, senhorita, se demonstro tanta satisfação. A batalha foi árdua e o sucesso me envaidece particularmente.

— Sucesso legítimo, senhor, e que tem o direito de comemorar.

— Obrigado. Mas que trajeto estranho é esse! Será que o motorista não ouviu?

Naquele momento, saíam de Paris pela porta de Neuilly. No entanto, a rua Pergolèse não fica fora das fortificações.

Sholmes abaixou o vidro.

— Ei, motorista, o senhor se enganou...

O homem não respondeu. Ele repetiu, mais alto:

— Mandei que seguisse para a rua Pergolèse.

O homem continuou sem responder.

— O senhor é surdo, meu amigo? Ou está de má vontade... Não temos nada a fazer aqui... Rua Pergolèse! Ordeno que dê meia-volta o mais rápido possível.

Sempre o mesmo silêncio. O inglês sentiu um calafrio. Olhou para Clotilde: um sorriso indefinível vincava os lábios da moça.

— Por que está rindo? — ele resmungou. — Esse incidente não tem nenhuma relação... isso não muda as coisas em nada...

— Absolutamente nada — ela respondeu.

De repente uma ideia o tirou do sério. Levantando-se um pouco, ele examinou mais atentamente o homem que se encontrava ao volante. Os ombros eram mais delicados, a atitude, mais relaxada... Começou a suar frio, suas mãos se crisparam, enquanto a mais terrível convicção se impunha ao seu espírito: o homem era Arsène Lupin.

— Muito bem, Sr. Sholmes, o que me diz deste pequeno passeio?

— Aprazível, caro senhor — replicou Sholmes.

Nunca se controlara tanto quanto precisou para pronunciar essas palavras sem nenhum tremor na voz, sem nada que pudesse denunciar a fúria de todo o seu ser. Mas imediatamente, numa espécie de reação extrema, com um gesto brusco, sacando seu revólver, ele o apontou para a senhorita Destange.

— Pare neste exato minuto, neste exato segundo, Lupin, ou atiro na senhorita.

— Recomendo que mire na bochecha se quiser atingir a têmpora, respondeu Lupin, sem voltar a cabeça.

Clotilde pronunciou:

— Maxime, não vá tão depressa, a pista está escorregadia e estou com medo.

Ela continuava a sorrir, os olhos pregados no calçamento irregular que subia e descia diante do carro.

— Diga-lhe que pare! — gritou Sholmes, louco de cólera. — Está vendo que sou capaz de tudo!

O cano do revólver roçou nos cachos do cabelo.

Ela murmurou:

— Esse Maxime é tão imprudente! Nessa velocidade, vamos escorregar, sem dúvida.

Sholmes guardou a arma no bolso e agarrou a maçaneta da porta, disposto a se jogar, apesar do absurdo da iniciativa.

Clotilde lhe disse:

— Cuidado, senhor, há um automóvel atrás de nós.

Ele se debruçou. Um carro os seguia, de aspecto selvagem graças à sua frente pontiaguda, cor de sangue, e ocupado por quatro homens envoltos em peles.

"Estou bem vigiado, um pouco de paciência", pensou.

Cruzou os braços no peito, com a submissão digna daqueles que se inclinam e acatam quando o destino se volta contra eles. Enquanto atravessavam o Sena e deixavam para trás Suresnes, Rueil, Chatou, permanecia imóvel, resignado, dominando sua cólera e sem amargura, só pensava em descobrir o milagre operado por Arsène Lupin para substituir seu chofer. Talvez o rapaz que escolhera de manhã no bulevar pudesse ser um cúmplice colocado ali previamente, ele não admitia. Em todo caso, Arsène Lupin fora alertado e só poderia ter sido depois do momento em que ele, Sholmes, ameaçara Clotilde, uma vez que ninguém, antes, desconfiava do seu plano. Ora, desde aquele momento, Clotilde e ele não haviam se separado.

Uma lembrança o atingiu: a ligação telefônica pedida pela moça, sua conversa com a costureira. E rapidamente compreendeu. Antes mesmo que tivesse falado, unicamente diante do anúncio da entrevista que ele solicitava como novo secretário do Sr. Destange, ela pressentira o perigo, adivinhara o nome e o objetivo do secretário e, com frieza, como se executasse mesmo o ato que parecia executar, chamara Lupin em seu socorro, sob a fachada de um serviço corriqueiro e recorrendo a recursos combinados entre eles.

Como Arsène Lupin tinha vindo, como subornara o motorista, tudo isso não tinha importância. O que fascinava Sholmes, a ponto de aplacar sua fúria, era como uma simples mulher, apaixonada, controlando seus nervos, comandando seu instinto, congelando os traços de seu rosto, dominando a expressão de seus olhos, ludibriara o velho Herlock Sholmes.

O que fazer contra um homem amparado por tais auxiliares, que, exclusivamente pela ascendência de sua autoridade, provocava numa mulher tais provisões de audácia e energia?

Cruzaram o Sena e subiram a colina de Saint-Germain; todavia, quinhentos metros após essa cidade, o táxi diminuiu a velocidade. O outro carro o alcançou e ambos pararam. Não havia ninguém nas cercanias.

— Sr. Sholmes — disse Lupin —, faça a gentileza de mudar de veículo. O nosso é tão lento!

— Como?! — gritou Sholmes, ansioso porque não tinha escolha.

— Permita-me igualmente lhe emprestar esse casaco, e lhe oferecer esses dois sanduíches... Sim, sim, aceite, sabe lá quando vai jantar!

Os quatro homens haviam saltado do carro. Um deles se aproximou e, como retirara os óculos que o disfarçavam, Sholmes reconheceu o senhor de sobrecasaca do restaurante húngaro. Lupin lhe disse:

— Devolva esse táxi ao motorista de quem o aluguei. Ele está esperando na primeira taberna de vinhos à direita da rua Legendre. Pague a segunda parcela de mil francos que prometi. Ah! Já ia esquecendo, passe os seus óculos para o Sr. Sholmes.

Trocou algumas palavras com a senhorita Destange, depois entrou no carro e partiu, com Sholmes ao seu lado e, atrás dele, um de seus homens.

Lupin não exagerara ao dizer que iriam rápido o suficiente. Desde o início foi uma velocidade frenética. O horizonte vinha ao encontro deles como se atraído por uma força misteriosa, desaparecendo como se engolido por um abismo, para o qual, árvores, casas, planícies e florestas, se lançavam com a pressa tumultuosa de uma cachoeira que sente a aproximação do abismo.

Sholmes e Lupin ficaram em silêncio. As folhas das árvores faziam um barulho parecido com ondas, devido ao espaçamento regular de cada tronco. E as cidades desapareciam: Mantes, Vernon, Gaillon. De uma colina a outra, de Bon-Secours a Canteleu. Rouen, seu subúrbio, seu porto, seus quilômetros de cais, pareceu apenas a rua de um vilarejo. E vieram Duclair, Caudebec, a região de Caux, Lillebonne e Quillebeuf. E chegaram na beira do Sena, na ponta de um pequeno cais, onde se encontrava um iate de linhas robustas, cuja chaminé lançava de fumaça preta.

O carro parou. Em duas horas, haviam percorrido mais de quarenta léguas.

Um homem de túnica azul e quepe com insígnias douradas se aproximou e cumprimentou.

— Perfeito, capitão! — exclamou Lupin. — Recebeu a mensagem?

— Recebi.

— L'Hirondelle está pronta?

— L'Hirondelle? Está pronta.

— Nesse caso, Sr. Sholmes?

O inglês percebeu um grupo de pessoas na varanda de um restaurante e logo outro mais próximo. Previu que antes de qualquer intervenção seria agarrado, embarcado e despachado para o fundo do porão. Atravessou a passarela e seguiu Lupin até a cabine do capitão.

Era uma cabine ampla e cuidadosamente limpa. O verniz de seu painel e o polimento de seus metais eram impecáveis.

Lupin fechou a porta e, interpelou Sholmes:

— O que sabe ao certo?

— Tudo.

— Tudo? Esclareça.

Não havia mais no tom de sua voz aquela polidez um tanto irônica com que se dirigia ao inglês. Era o tom imperioso do chefe habituado a comandar e a exigir que todo mundo se curvasse diante dele, mesmo um Herlock Sholmes.

Eles se entreolharam como inimigos.

Um pouco nervoso, Lupin continuou:

— Foram muitas as vezes, cavalheiro, que esbarrei com o senhor no meu caminho. Isso já passou dos limites e cansei de perder meu tempo desfazendo suas armadilhas. Advirto-o, portanto, que meu comportamento com o senhor dependerá de sua resposta. O que sabe ao certo?

— Tudo, senhor, repito.

Arsène Lupin se conteve, e, disse:

— Vou lhe dizer, eu, o que sabe. Sabe que, sob o nome de Maxime Bermond, eu... reformei quinze prédios construídos pelo Sr. Destange.

— Sim.

— Desses quinze prédios, o senhor conhece quatro.

— Sim.

— E tem a lista dos outros onze.

— Sim.

— O senhor pegou essa lista na casa do Sr. Destange, esta noite.

— Sim.

— E como supõe que, dentre esses onze prédios, há um que reservei para mim, para minhas necessidades e as dos meus amigos, o senhor delegou a Ganimard a tarefa de tomar providências e descobrir meu refúgio.

— Não.

— O que significa?

— O que significa que trabalho sozinho e que ia tomar minhas precauções sozinho.

— Então não tenho nada a temer, uma vez que está em minhas mãos.

— Não tem nada a temer, enquanto eu estiver em suas mãos.

— Quer dizer que não vai ficar aí?

— Não.

Arsène Lupin aproximou-se do inglês e, colocando a mão sobre seu ombro com toda a delicadeza:

— Escute, cavalheiro, não estou com disposição para conversar e, infelizmente para o senhor, não o vejo em condições de me derrotar. Então, vamos acabar com isso.

— Vamos acabar com isso.

— Vai me dar sua palavra de honra que não tentará escapar deste barco antes de estar em águas inglesas.

— Dou-lhe minha palavra de honra que tentarei escapar por todos os meios — respondeu Sholmes.

— O senhor sabe que basta eu dizer uma palavra para destruí-lo. Todos esses homens me obedecem cegamente. A um sinal meu, eles lhe colocam uma corrente no pescoço...

— As correntes se rompem...

— ...e o jogam no mar, a dez milhas da costa.
— Sei nadar.
— Boa resposta! — exclamou Lupin, rindo. — Deus me perdoe, eu estava com raiva. Desculpe, mestre... concluamos. Admite que procuro as medidas necessárias à minha segurança e à de meus amigos?
— Todas as medidas. Mas elas são desnecessárias.
— De acordo. No entanto, não me quer mal por eu tomá-las.
— É seu dever.

Lupin abriu a porta e chamou o capitão e dois marujos. Estes agarraram o inglês e, após tê-lo revistado, amarraram-lhe as pernas e o prenderam na cama do capitão.

— Chega! — gritou Lupin. — Na verdade, só a sua obstinação, cavalheiro, e a gravidade excepcional das circunstâncias para que eu ouse me permitir... Os marujos se retiraram. Lupin disse ao capitão:

— Capitão, um homem da tripulação permanecerá aqui à disposição do Sr. Sholmes e o senhor mesmo lhe fará companhia na medida do possível. Que possamos ter todo o respeito por ele. Não é um prisioneiro, mas um convidado. Que horas são, capitão?

— Duas e cinco.

Lupin consultou seu relógio, depois um relógio pendurado na divisória da cabine.

— Duas e cinco...? Estamos acertados. De quanto tempo necessita para ir a Southampton?

— Nove horas, sem nos apressar.

— Deve levar onze. Não deve tocar a terra antes da partida do barco que deixa Southampton à meia-noite e chega ao Havre às oito da manhã. Entendeu, capitão? Repito: como seria infinitamente perigoso para nós se o cavalheiro retornasse à França nesse navio, não deve chegar a Southampton antes de uma da manhã.

— Entendido.

— Até o ano que vem, neste ou no outro mundo.

— Até amanhã.

Alguns minutos mais tarde, Sholmes ouviu o automóvel se afastando e, na mesma hora, no fundo de L'Hirondelle, o vapor ofegou violentamente. O barco deu partida.

Por volta das três horas, haviam atravessado o estuário do Sena e alcançado o mar aberto. Nesse momento, na cama onde estava preso, Herlock Sholmes dormia profundamente.

Na manhã seguinte, décimo e último dia da guerra travada pelos dois grandes rivais, o *Écho de France* publicava a seguinte nota:

"Ontem, um decreto de expulsão foi emitido por Arsène Lupin contra Herlock Sholmes, detetive inglês. Expedido ao meio-dia, a ordem foi executada no mesmo dia. À uma hora da manhã, Sholmes desembarcou em Southampton."

Capítulo 6
A SEGUNDA PRISÃO DE ARSÈNE LUPIN

A partir das oito horas, doze veículos de uma transportadora congestionaram a rua Crevaux, entre a avenida du Bois-de-Boulogne e a avenue Bugeaud.

O Sr. Félix Davey estava saindo do apartamento que ocupava no quarto andar do nº 8. e o Sr. Dubreuil, perito em arte, que uniu em um único apartamento o quinto andar do mesmo edifício e o quinto andar de dois edifícios contíguos, no mesmo dia despachou as coleções de móveis visitadas diariamente por tantos interessados estrangeiros. Foi pura coincidência, visto que esses senhores não se conheciam.

Detalhe notado na vizinhança, mas só mencionado mais tarde: nenhum dos doze veículos estampava o nome e o endereço da empresa de mudanças, e nenhum dos homens que vieram com eles se demorou nos arredores. Trabalharam tão bem que às onze horas tudo estava terminado. Só restavam montes de papéis e trapos que ficaram para trás, nos cantos dos quartos vazios.

O Sr. Félix Davey, um homem elegante, que carregava uma bengala cujo peso indicava em seu dono um bíceps incomum, se afastou silenciosamente e sentou-se no banco da viela transversal que corta a avenida du Bois, em frente à rua Pergolèse. Ao lado dele, uma mulher com uma roupa simples lia seu jornal, enquanto uma criança brincava cavando um monte de areia com sua pá.

Após um momento, Félix Davey disse à mulher, sem virar a cabeça:

— Ganimard?

— Saiu às nove.

— Aonde foi?

— À delegacia de polícia.

— Sozinho?

— Sozinho.

— Nenhuma mensagem de noite?

— Nenhuma.

— Continuam a confiar em você no prédio?

— Sempre. Presto pequenos serviços à Sra. Ganimard, e ela me conta tudo o que o marido dela faz... passamos a manhã juntas.

— Perfeito! Esteja aqui todos os dias às onze horas, até segunda ordem.

Ele se levantou e foi para o Pavilhão Chinês onde fez uma refeição leve, dois ovos, vegetais e frutas. Então voltou ao apartamento na rua Crevaux e disse ao porteiro:

— Vou dar uma olhada lá em cima e lhe devolvo as chaves.

Ele encerrou sua inspeção pela sala que servia de escritório. Lá, ele segurou a ponta de um cano de gás, cujo cotovelo articulado ficava pendurado na lareira, removeu o tampão de cobre que o fechava, encaixou um pequeno dispositivo em forma de corneta e soprou.

Um assobio suave respondeu a ele. Trazendo o cachimbo à boca, ele sussurrou:

— Ninguém, Dubreuil?

— Ninguém.

— Posso subir?

— Sim.

Ele colocou o tubo de volta no lugar, enquanto pensava:

"Até onde vai o progresso? Nosso século abunda em invenções que tornam a vida realmente encantadora. É tão divertido...! Sobretudo quando sabemos brincar com a vida como eu!"

Ele girou uma das molduras de mármore da lareira. A laje de mármore moveu-se, e o espelho escorregou por ranhuras invisíveis, desmascarando uma abertura onde se via os primeiros degraus de uma escada construída no corpo da lareira; tudo muito limpo, em ferro fundido cuidadosamente polido e porcelanato branco.

Ele subiu. No quinto andar se via uma abertura acima da lareira, exatamente igual a anterior. O Sr. Dubreuil estava esperando.

— Acabou?

— Acabou.

— Tudo limpo?

— Completamente.

— Os funcionários?

— Só estão os três homens de serviço.

— Vamos lá.

Eles subiram o mesmo caminho até o andar dos criados e saíram para um sótão onde havia três pessoas, uma das quais estava olhando pela janela.

— Nada de novo?

— Nada, chefe.

— A rua está tranquila?

— Absolutamente.

— Mais dez minutos e vou embora definitivamente... você também vai embora. Até então, ao menor movimento suspeito na rua, avise-me.

— Ainda estou com o dedo no alarme, chefe.

— Dubreuil, você recomendou aos nossos carregadores não tocarem nos fios desse alarme?

— Certamente! E tudo funciona maravilhosamente bem.
— Ainda bem.

Esses dois senhores voltaram ao apartamento de Félix Davey. E este, depois de ajustar a moldura de mármore, exclamou alegremente:

— Dubreuil, gostaria de ver a cara de quem vai descobrir toda essa maravilha: alarmes, rede de fios elétricos e tubos acústicos, passagens invisíveis, escadas escondidas... um verdadeiro cenário para um filme de suspense!

— Que propaganda de Arsène Lupin!

— Uma propaganda dispensável. Pena abandonar um esconderijo assim. Temos de recomeçar do zero, Dubreuil... e seguindo um novo modelo, evidentemente, pois nunca é bom se repetir. Tudo culpa do Sholmes!

— O Sholmes ainda não voltou?

— Ainda não! De Southampton, só há uma única balsa, a da meia-noite. Do Havre, um único trem, o das oito da manhã, que chega às onze e onze. Visto que ele não pegou a balsa da meia-noite, só poderá estar na França hoje à noite, via Newhaven e Dieppe.

— Se conseguir!

— Sholmes nunca desiste do jogo. Voltará, porém, será tarde demais. Estaremos longe.

— E a senhorita Destange?

— Tenho que encontrá-la em uma hora.

— Na casa dela?

— Oh, não, ela só voltará para casa daqui a uns dias, depois da tormenta... e quando eu puder me dedicar inteiramente a ela. Mas, você, Dubreuil, precisa se apressar. O embarque dos nossos pacotes vai demorar e sua presença no cais é indispensável.

— Tem certeza de que não somos vigiados?

— Por quem? Sholmes era meu único receio.

Dubreuil se retirou. Félix Davey deu uma última volta, recolheu duas ou três cartas rasgadas, depois, percebendo um pedaço de giz, pegou-o, desenhou no papel de parede escuro da sala de jantar uma grande moldura e escreveu, como se faz numa placa comemorativa:

"Aqui residiu, durante cinco anos, no início do século XX, Arsène Lupin, o ladrão de casaca."

Essa piadinha pareceu lhe dar grande satisfação. Contemplou-a, assobiando uma melodia alegre, e disse:

— Agora que estou de acordo com os historiadores das gerações futuras, vamos embora. Depressa, Mestre Herlock Sholmes, antes de três minutos terei deixado meu esconderijo e sua derrota será total... mais dois minutos! Você me deixa esperando, mestre!... Mais um minuto! Você não vem? Bem, eu proclamo sua queda e minha apoteose. Adeus, reino de Arsène Lupin! Eu não vou te ver de novo. Adeus aos cinquenta e cinco quartos dos seis apartamentos sobre os quais reinei! Adeus, meu quarto, meu sóbrio quarto!

Um toque interrompeu sua explosão de lirismo, um toque agudo, rápido e estridente, que foi interrompido duas vezes, reiniciado duas vezes e cessado. Foi a campainha do alarme.

O que estava ali? Que perigo imprevisto? Ganimard? Mas não...

Estava prestes a voltar para seu escritório e fugir. Mas primeiro foi na direção da janela. Ninguém na rua. O inimigo já estaria dentro do prédio? Ele ouviu e pensou ter percebido alguns rumores confusos. Sem mais hesitações, ele correu para o seu escritório e, ao cruzar a soleira, ouviu o som de uma chave a ser introduzida na porta do corredor.

— Diabos — murmurou — bem nesta hora. A casa talvez esteja cercada...a escada de serviço, impossível. Felizmente a lareira...

Ele empurrou a moldura rapidamente: ela não se mexeu. Ele fez um esforço mais violento: ela não se mexeu.

No mesmo momento, teve a impressão de que ali a porta se abria e de que os passos ecoavam.

— Estou perdido se este maldito mecanismo...

Ele tentou girar uma das molduras de mármore da lareira. Colocou todo o peso do corpo. Nada se mexeu. Nada! Por um azar incrível, por uma maldade realmente aterrorizante do destino, o mecanismo, que funcionava ainda um minuto antes, não funcionava mais.

Ele persistiu, tenso. O bloco de mármore permanecia inerte, imutável. Maldição!

Socou o mármore, deu socos raivosos, martelou-o, xingou-o...

— Bem, o que, Sr. Lupin, há algo de errado com o senhor?

Lupin se virou, abalado de medo. Herlock Sholmes estava na frente dele!

Herlock Sholmes! Ele olhou para ele piscando, como se envergonhado de uma visão cruel. Herlock Sholmes em Paris! Herlock Sholmes, a quem ele havia enviado no dia anterior para a Inglaterra como um pacote perigoso, e que estava na frente dele, vitorioso e livre! Ah! Para que esse milagre impossível fosse alcançado apesar da vontade de Arsène Lupin, deveria haver uma reviravolta das leis naturais, o triunfo de tudo não tinha lógica!

E o inglês disse, irônico, e cheio daquela polidez com que seu adversário tantas vezes o irritava:

— Senhor Lupin, advirto-o que a partir deste minuto, nunca mais pensarei na noite que você me fez passar no hotel do Barão d'Hautrec, nunca mais nas desventuras do meu amigo Wilson, nunca mais no meu sequestro no automóvel, e não mais a esta viagem que acabo de realizar, amarrado por suas ordens em uma cama desconfortável. Este minuto apaga tudo. Não me lembro de nada. Estou recompensado.

Lupin conservou o silêncio. O inglês continuou:

— Não é sua opinião?

Parecia insistir, como se exigisse um consentimento, uma espécie de indenização pelo passado.

Após um instante de reflexão, durante o qual o inglês se sentiu invadido e analisado até as entranhas de sua alma, Lupin declarou:

— Suponho, cavalheiro, que sua conduta atual se apoie em motivos sérios...

— Extremamente sérios.

— O fato de ter escapado do meu capitão e dos meus marinheiros não passa de um incidente secundário de nossa luta. Mas o fato de estar aqui, na minha frente, sozinho, me faz pensar que sua revanche é tão completa quanto real.

— Tão completa quanto real.

— Este prédio?

— Cercado.

— Os dois prédios vizinhos?

— Cercados.

— O apartamento em cima deste?

— Os três apartamentos do quinto andar que o Sr. Dubreuil ocupava, cercados.

— De modo que...

— De modo que está preso, Sr. Lupin, de forma irreparável.

Os mesmos sentimentos que agitaram Sholmes durante sua viagem de carro, Lupin os experimentou, a mesma fúria concentrada, a mesma revolta, mas também, no final a mesma lealdade o curvou sob a força das circunstâncias. Ambos igualmente poderosos, eles também tiveram que aceitar a derrota como um mal temporário ao qual devemos nos resignar.

— Estamos quites, cavalheiro — disse Lupin.

O inglês pareceu encantado com essa admissão. Eles pararam de falar. Então Lupin retomou, já no controle e sorrindo:

— E eu não sinto muito! Estava ficando tedioso vencer todas as vezes. Eu só tinha que estender meu braço para alcançá-lo bem no peito.

Enfim vamos nos divertir! Lupin caiu na ratoeira. Como vai sair dela? Que aventura...! Ah, mestre, devo-lhe uma emoção rara. É isso, a vida!

Ele apertava as têmporas com os dois punhos fechados, como se quisesse demonstrar a alegria que fervilhava nele, e fazia gestos de criança que se diverte além de suas forças.

Em seguida, aproximou-se do inglês.

— E agora, o que está esperando?

— O que estou esperando?

— Sim, Ganimard está aqui com seus homens. Por que ele não entra?

— Pedi para que Ganimard não entrasse.

— E ele consentiu?

— Requeri seus serviços com a condição de que se deixaria guiar por mim. Aliás, ele acredita que o Sr. Félix Davey não passa de um cúmplice de Lupin!

— Então repito minha pergunta de outra forma. Por que entrou sozinho?
— Quis ser o primeiro a falar com você.
— Fez questão de falar comigo.

Essa ideia pareceu agradar Lupin. Existem tais circunstâncias em que as palavras são muito preferidas às ações.

— Sr. Sholmes, lamento não ter uma poltrona para lhe oferecer. Você gosta daquele caixote velho meio quebrado? Ou o parapeito daquela janela? Tenho certeza que um copo de cerveja seria bem-vindo... Mas sente-se, por favor...
— Vamos conversar.
— Conversemos.
— Estou escutando.
— Serei breve. O objetivo de minha viagem à França não era sua prisão. Se fui levado a persegui-lo, foi porque não havia outro meio de chegar ao meu verdadeiro objetivo.
— E qual era?
— Encontrar o diamante azul!
— O diamante azul!
— Claro, uma vez que o descoberto no frasco na bolsinha de Bleichen não era o verdadeiro.
— De fato. A verdadeira joia foi despachada pela loira, mandei copiá-la exatamente, e como, então, tinha planos para as outras joias da condessa, e o cônsul Bleichen já era suspeito, a loira colocou o diamante falso na bagagem do cônsul.
— Enquanto você manteve o verdadeiro.
— Naturalmente.
— Preciso desse diamante.
— Impossível. Peço-lhe desculpas.
— Prometi-o à condessa De Crozon. E o terei.
— Como o terá, uma vez que ele está em minha posse?
— Justamente por isso é que o terei.
— Eu o devolverei, então?
— Sim.
— Voluntariamente?
— Compro-o do senhor.

Lupin teve um acesso de riso.

— O senhor é mesmo inglês. Trata isso como um negócio.
— É um negócio.
— E o que me oferece?
— A liberdade da senhorita Destange.
— Sua liberdade? Mas que eu saiba ela não está presa.
— Fornecerei ao senhor Ganimard as indicações necessárias. Sem a sua proteção, ela também será presa.

Lupin gargalhou novamente.

— Cavalheiro, o senhor me oferece o que não tem. A senhorita Destange está em segurança e nada teme. Peço-lhe que me ofereça outra coisa.

O inglês hesitou, visivelmente constrangido.

Depois, bruscamente, encostou a mão no ombro de seu adversário.

— E se eu lhe propusesse...

— Minha liberdade?

— Não... mas, enfim, posso sair desta sala, me entender com o Sr. Ganimard...

— E me deixar refletir?

— Sim.

— Meu Deus, de que isso me serviria! Esse satânico mecanismo não funciona mais — disse Lupin, empurrando com irritação a moldura da lareira.

Abafou um grito dessa vez, pois, capricho das coisas, retorno inesperado da sorte, o bloco de mármore se moveu sob seus dedos.

Era a salvação, a evasão possível. Nesse caso, para que se submeter às condições de Sholmes?

Andou para um lado e para o outro, como se elaborasse numa resposta. Em seguida, foi sua vez de encostar a mão no ombro do inglês.

— Pensando bem, Sr. Sholmes, prefiro fazer meus pequenos negócios sozinho.

— No entanto...

— Não, não preciso de ninguém.

— Quando Ganimard agarrá-lo, será o fim. Não o soltarão.

— Quem sabe!

— Vejamos, isso é loucura. Todas as saídas estão vigiadas.

— Resta uma.

— Qual?

— A que escolherei.

— Palavras! Pode considerar sua prisão coisa feita.

— Ainda não.

— Então?

— Então fico com o diamante azul.

Sholmes sacou seu relógio.

— São duas e cinquenta. Às três horas chamo Ganimard.

— Temos dez minutos pela frente, para conversarmos. Aproveitemos, Sr. Sholmes, e, para satisfazer a curiosidade que me devora, conte-me como soube meu endereço e meu nome Félix Davey.

Enquanto vigiava atentamente Lupin, cujo bom humor o preocupava, Sholmes prestou-se de boa vontade a essa explicação, que afagava seu amor-próprio, e foi em frente:

— Seu endereço? Peguei-o com a mulher loira.

— Clotilde!

— Ela mesma. Lembre-se... ontem de manhã... quando eu quis raptá-la de automóvel, ela telefonou para a costureira.

— De fato.

— Pois bem, posteriormente compreendi que a costureira era o senhor. E, no barco, aquela noite, puxando pela memória, consegui reconstituir os dois últimos algarismos do seu número de telefone... 73. Dessa forma, possuindo a lista de suas casas "reformadas", foi fácil para mim, assim que cheguei a Paris hoje de manhã, às onze horas, procurar e descobrir no catálogo telefônico o nome e o endereço do Sr. Félix Davey. Conhecidos esse nome e esse endereço, pedi ajuda ao Sr. Ganimard.

— Admirável! Só me resta me curvar. Mas o que não entendi é como o senhor pegou o trem do Havre. Como fez para se evadir do L'Hirondelle?

— Não me evadi.

— No entanto...

— O senhor tinha dado ordens ao capitão para só chegar a Southampton à uma da manhã. Fui desembarcado à meia-noite. Pude então embarcar na balsa do Havre.

— O capitão me traiu? Isso é inadmissível.

— Ele não o traiu.

— Então...?

— Foi seu relógio.

— Seu relógio.

— Sim, adiantei seu relógio em uma hora.

— Como?

— Como adiantamos um relógio, girando o ponteiro. Estávamos conversando sentados um ao lado do outro, eu lhe contava histórias que o interessavam... Então, não percebeu nada.

— Bravo, bravo, belo golpe, vou guardá-lo na memória. Mas e o relógio de parede que estava preso na divisória de sua cabine?

— Ah, esse relógio era mais difícil, pois eu estava com as pernas amarradas, mas o marinheiro que me vigiava durante as ausências do capitão se dispôs a dar um empurrãozinho nos ponteiros.

— Ele? Ora vamos! Ele consentiu...?

— Oh! Ele ignorava a importância de seu ato! Eu apenas disse que precisava pegar o primeiro trem para Londres de qualquer maneira, e... ele se deixou convencer...

— Mediante...

— Mediante um presentinho... que o excelente homem aliás tem a intenção de lhe entregar lealmente.

— Que presente?

— Uma bagatela.

— Ora vamos...

— O diamante azul.

— O diamante azul!

— Sim, o falso, o que o senhor colocou no lugar do diamante da condessa, e que ela me entregou...

Em uma explosão de risos, Lupin se contorcia, com os olhos marejados de lágrimas.

— É de rolar de rir! Meu falso diamante passado ao marinheiro! E o relógio do capitão! E os ponteiros do relógio de parede...!

Nunca antes Sholmes sentira tão violenta a luta entre Lupin e ele. Com seu instinto prodigioso, pressentia, sob aquela alegria excessiva, uma concentração de pensamento formidável, como que uma síntese de todas as capacidades.

Pouco a pouco Lupin se aproximara. O inglês recuou e, distraidamente, tirou os dedos no bolso.

— São três horas, senhor Lupin.

— Três horas, já? Que pena...! Estávamos nos divertindo tanto!

— Espero sua resposta.

— Minha resposta? Meu Deus, como o senhor é exigente! Chegamos então ao fim do nosso jogo. E, como recompensa, minha liberdade!

— Ou o diamante azul.

— Que seja... jogue primeiro. O que faz?

— Jogo o rei — disse Sholmes, dando um tiro de revólver.

— E eu o curinga — replicou Arsène, disparando um soco na direção do inglês.

Sholmes atirara para o alto, para chamar Ganimard, cuja intervenção lhe parecia urgente. Mas o punho de Arsène atingiu em cheio o estômago de Sholmes, que empalideceu e vacilou. Num pulo, Lupin alcançou a lareira e fez com que a placa de mármore se deslocasse... Tarde demais! A porta se abriu.

— Renda-se, Lupin.

Posicionado mais perto do que Lupin pensara, Ganimard estava ali, com o revólver apontado para ele. E atrás de Ganimard, vinte homens se espremiam, brutamontes, que o teriam abatido feito um cão ao menor sinal de resistência.

Ele fez um gesto, muito calmo.

— Tirem a mãos! Eu me rendo.

E cruzou os braços no peito.

Houve uma espécie de espanto. No aposento sem móveis e cortinas, as palavras de Arsène Lupin se prolongavam como um eco. "Eu me rendo!" Palavras inacreditáveis! Esperavam que ele sumisse num passe de mágica por um alçapão ou que uma parede desmoronasse à sua frente e o furtasse mais uma vez a seus agressores. E ele estava se rendendo!

Ganimard avançou e, nervosíssimo, lentamente estendeu a mão sobre seu adversário e teve o prazer de pronunciar:

— Está preso, Lupin.

— Assim você me amedronta, meu bom Ganimard. Que homem sombrio! Parece que está falando diante do túmulo de um amigo.

Vamos, não faça parecer um funeral.

— Estou prendendo você.

— E isso o choca? Em nome da lei da qual é fiel executor, Ganimard, inspetor-chefe, prende o malvado Lupin. Momento histórico, cuja importância os senhores captam plenamente... E é a segunda vez que esse fato se produz. Bravo, Ganimard, você irá longe na carreira!

E ofereceu seus pulsos para as correntes de aço...

Foi um acontecimento que se deu de uma maneira um pouco solene. Os agentes, a despeito de sua brutalidade e da força de seu ressentimento contra Lupin, agiam com sobriedade, surpresos com a chance de tocar naquela criatura intangível.

— Meu pobre Lupin — ele suspirou —, o que diriam seus amigos do subúrbio vendo-o humilhado dessa maneira?

Afastou os punhos num esforço progressivo e contínuo de todos os seus músculos. As veias de sua testa saltaram. Os elos da corrente penetraram lhe na pele.

— Vamos — ele disse.

A corrente saltou, quebrada.

— Outra, camaradas, esta não vale nada.

Passaram-lhe duas. Ele aprovou:

— Assim é melhor! Nunca é demais tomar todas as precauções.

Depois, contando os agentes:

— Quantos vocês são, meus amigos? Vinte e cinco? Trinta? É muito... Nada a fazer. Ah, se fossem apenas quinze!

Era realmente uma atuação de um grande ator que desempenha seu papel por instinto e com vivacidade, com impertinência e leveza. Sholmes assistia, como assistimos a um belo espetáculo. De fato, teve a impressão bizarra de que a luta era igual entre aqueles trinta homens de um lado, apoiados por todo o aparato formidável da justiça, e do outro, aquela criatura solitária, sem armas e acorrentado. As duas partes eram iguais.

— Muito bem, mestre — disse-lhe Lupin —, eis a sua obra. Graças ao senhor, Lupin apodrecerá nas masmorras. Confessa que sua consciência não está absolutamente tranquila e que o remorso o devora?

Involuntariamente o inglês encolheu os ombros, parecendo dizer: "Só depende do senhor!"

— Nunca! Nunca — choramingou Lupin... — Devolver-lhe o diamante azul? Ah! não, já me custou muito trabalho. Eu me importo com isso. Durante visita que lhe farei em Londres, provavelmente no mês que vem, direi os motivos... mas você estará em Londres no mês que vem? Você prefere Viena? São Petersburgo?

Ele pulou. De repente, uma campainha ecoou no teto. E não era mais a campainha de alarme, mas a chamada do telefone cujos fios terminavam em seu escritório, entre as duas janelas. O aparelho não havia sido retirado.

O telefone! Ah, quem iria cair na armadilha preparada por um acaso abominável! Arsène Lupin fez um movimento de raiva em direção ao aparelho, como se quisesse quebrá-lo, reduzi-lo a pedaços e, ao mesmo tempo, abafar a voz misteriosa que lhe pedia para falar. Mas Ganimard pegou o fone e se inclinou para a frente.

— Olá... olá... o número 648-73... sim, está aqui.

Rapidamente, com autoridade, Sholmes empurrou-o para o lado, agarrou os dois receptores e aplicou o lenço no bocal para tornar o som de sua voz mais indistinto.

Naquele momento, ele olhou para Lupin. E o olhar que trocaram provou-lhes que o mesmo pensamento os atingira e que ambos previam até as últimas consequências desta hipótese possível: quem telefonou foi a loira. Ela pensou que estava chamando Félix Davey, ou melhor, Maxime Bermond, e era a Sholmes que ela ia falar!

E o inglês gritou:

— Alô!... Alô!...

Um silêncio e Sholmes:

— Sim, sou eu, Maxime.

— Imediatamente o drama tomou forma, com precisão trágica. Lupin, o indomável e zombeteiro Lupin, nem pensou em esconder sua ansiedade e, com o rosto pálido de angústia, ele tentou ouvir, adivinhar. E Sholmes continuou: — Alô... alô... mas sim, acabou tudo, e eu estava prestes a me juntar a você, como foi combinado... Onde você está? Você não acha que é melhor assim...

Ele hesitou, procurando suas palavras, então parou. Estava claro que ele estava tentando questionar a jovem sem falar muito e que não tinha ideia de onde ela estava. Além disso, a presença de Ganimard parecia incomodá-lo...

— Ah! — Lupin gritou com todas as suas forças, todos os seus nervos!

E Sholmes disse:

— Alô!... Alô!... Não está ouvindo?... Nem eu... muito mal... mal consigo distinguir... você está ouvindo? Bem, aí está... pensando nisso... é melhor você ir para casa... Não tem nenhum perigo...

Mas ele está na Inglaterra! Recebi um telegrama de Southampton confirmando sua chegada.

A ironia dessas palavras! Sholmes os articulou com um bem-estar inexprimível. E ele acrescentou:

— Então não perca tempo, minha querida, estou indo ao seu encontro... Então desligou o aparelho.

— Sr. Ganimard, vou pedir-lhe três dos seus homens.

— É para a loira, não é?

— Sim.

— Você sabe quem ela é, onde ela está?

— Sim.

— Bravo! Bela captura! Com Lupin... o dia está completo. Folenfant, pegue dois homens e acompanhe o senhor.

A mulher loira também cairia no poder de Sholmes. Graças a sua admirável obstinação, graças à sequência de acontecimentos favoráveis, a batalha terminava para ele em vitória; para Lupin, num desastre irreparável.

— Sr. Sholmes!

O inglês se deteve.

— Sr. Lupin?

Lupin parecia profundamente abalado por aquele último golpe. Rugas marcavam sua testa. Estava abatido e triste.

— Sr. Sholmes o senhor pode ver que o destino está contra mim. Ainda há pouco, me impediu de fugir por essa lareira e me entregou ao senhor. Dessa vez, serve-se do telefone para lhe dar de presente a mulher loira. Estou às suas ordens.

— O que significa...?

— Significa que estou pronto a reabrir as negociações.

Sholmes chamou o inspetor e solicitou autorização para trocar algumas palavras com Lupin a sós. Em seguida, voltou-se para este.

— O que deseja?

— A liberdade da senhorita Destange.

— Sabe o preço?

— Sim.

— E aceita?

— Aceito todas as suas condições.

— Mas o senhor recusou anteriormente a minha proposta.

— Sr. Sholmes, Agora é a mulher que amo. Na França, compreenda, temos ideias muito singulares sobre essas coisas. E não é porque me chamo Lupin que vou agir de maneira diferente.

Disse isso com muita calma. Sholmes inclinou a cabeça e murmurou:

— E então, o diamante azul?

— Pegue minha bengala, ali, no canto da lareira. Aperte com uma das mãos o cabo e, com a outra, gire a argola de ferro que remata a ponta oposta do bastão.

Sholmes pegou a bengala e girou a argola, e, enquanto girava, percebeu que o cabo desatarraxava. No interior do bastão estava uma bola de argamassa. Dentro da bola, um diamante.

Examinou-o. Era o diamante azul.

— A senhorita Destange está livre, Sr. Lupin.

— Livre no futuro como no presente? Não tem nada a recear de sua parte?

— Nem de ninguém.

— Aconteça o que acontecer?

— Aconteça o que acontecer. Acabo de apagar seu nome e seu endereço.

— Obrigado. E até logo. Pois nos veremos novamente. Não tenho dúvida disso.

Houve entre o inglês e Ganimard uma explicação bastante agitada que Sholmes interrompeu de forma brusca:

— Lamento muito, Sr. Ganimard, por não estarmos de acordo. Mas não tenho tempo de convencê-lo. Parto para a Inglaterra em uma hora.

— Mas... e a mulher loira...?

— Não conheço essa pessoa...

— Mas um instante atrás...

— É pegar ou largar. Já lhe entreguei Lupin. Eis o diamante azul... que o senhor terá o prazer de devolver pessoalmente à condessa De Crozon.

Parece-me que não tem do que se queixar.

— E a mulher loira?

— Encontre-a.

Enfiou seu chapéu na cabeça e saiu rapidamente, como alguém que não tem o costume de se demorar quando seus assuntos estão resolvidos.

— Boa viagem, mestre — disse Lupin. E pode acreditar que nunca esquecerei as relações cordiais que cultivamos. Minhas lembranças ao Sr. Wilson.

Não obteve nenhuma resposta e riu:

— É o que se chama sair à inglesa. Ah, esse digno ilhéu não possui a flor de cortesia pela qual nos distinguimos. Pense um pouco, Ganimard, na saída que um francês teria executado em tais circunstâncias, com que requintes de polidez teria blindado seu triunfo! Ganimard, o que está fazendo? Ora vamos, uma busca! Não há mais nada, caro amigo, nem sequer um papel.

Meus arquivos estão em local seguro.

— Quem sabe? Quem sabe?

Lupin resignou-se. Contido por dois inspetores, cercado pelos demais, assistiu pacientemente às diversas operações. No entanto, ao fim de vinte minutos, suspirou:

— Vamos, Ganimard, você não termina nunca.

— Então está com pressa?

— Se estou com pressa? Tenho um encontro urgente!

— Na delegacia?

— Não, na cidade.

— E a que horas?

— Às duas.

— São três.

— Justamente, chegarei atrasado, e não há nada que eu deteste mais do que chegar atrasado.

— Me dá cinco minutos?

— Nem um a mais.

— Muito amável... vou tentar...

— Não fale tanto... De novo esse armário? Mas está vazio!

— No entanto, eis algumas cartas.

— Velhas faturas!

— Não, um maço amarrado com uma fita.

— Uma fita cor-de-rosa? Oh! Ganimard, não desate, pelo amor de Deus!

— É de uma mulher?

— Sim.

— Uma mulher da sociedade?

— Da melhor.

— Seu nome?
— Sra. Ganimard.
— Muito engraçado! — exclamou o inspetor, num tom ofendido.

Nesse momento, os homens espalhados nos outros cômodos comunicaram que as buscas não tinham dado nenhum resultado.

— Claro que não! Por acaso esperavam descobrir a lista de meus camaradas ou a prova de minhas relações com o imperador da Alemanha? O que você teria de procurar, Ganimard, são os pequenos mistérios deste apartamento. Por exemplo, esse tubo de gás é um tubo acústico. Essa lareira contém uma escada. Essa parede é oca. E o emaranhado das campainhas!

Veja, Ganimard, aperte esse botão...
— Ganimard obedeceu.
— Não ouve nada? — Interrogou Lupin.
— Não.
— Eu também não. Contudo, você ordenou ao comandante do meu parque aerostático que preparasse o balão dirigível que em breve irá nos carregar pelos ares.
— Vamos — disse Ganimard, que terminara sua inspeção, — chega de tolices, a caminho!

Deu alguns passos, os homens o seguiram.

Lupin não saiu do lugar.

Seus guardiões o empurraram. Em vão.

— Muito bem — disse Ganimard —, recusa-se a andar?
— Em absoluto.
— Nesse caso...
— Se irei ou não, depende.
— De quê?
— Do lugar para onde me levarão.
— Para a delegacia, é claro.
— Então não saio do lugar. Não tenho nada a fazer na delegacia.
— Por acaso está louco?
— Não tive a honra de lhe avisar que tenho um encontro urgente?
— Lupin!
— Ora, Ganimard, a mulher loira aguarda minha visita e decerto não supõe que eu seja tão grosseiro a ponto de decepcioná-la! Seria indelicado de minha parte.
— Escute, Lupin — disse o inspetor, até aqui fui muito amável com você. Mas tudo tem limite. Siga-me.
— Impossível. Tenho um encontro, estarei presente a esse encontro.
— Pela última vez...Im-pos-sí-vel.

Ganimard fez um sinal. Dois homens agarraram Lupin pelas axilas e o levantaram, mas o largaram imediatamente, com um gemido de dor: com suas duas mãos, Arsène Lupin enfiara neles duas longas agulhas.

Furiosos, os outros se precipitaram, dando finalmente vazão ao seu ódio, loucos para vingar seus amigos e a si mesmos de tantos ultrajes, e bateram, bateram à vontade. Um soco atingiu-o na têmpora. Ele caiu.

— Se o estragarem — rosnou Ganimard, furioso —, terão de se haver comigo.

Debruçando-se sobre o prisioneiro, averiguou seu estado. Ao constatar que respirava, ordenou que o pegassem pelos pés e pela cabeça, enquanto ele mesmo escorava seu torso.

— Vamos, com delicadeza, por favor! Sem solavancos... Ah, brutos, eles o teriam matado. Ei, Lupin, você está bem?

Lupin abria os olhos. Balbuciou:

— Um trapo, Ganimard... você permitiu que eles me demolissem.

— Culpa sua, cabeça-dura! — respondeu Ganimard, desolado.

— Está doendo muito?

Chegaram ao saguão. Lupin gemeu:

— Ganimard... o elevador... eles vão me quebrar os ossos...

— Boa ideia, excelente ideia — aprovou Ganimard. A escada é muito estreita, não haveria como...

Chamou o elevador. Instalaram Lupin no assento com todo tipo de precauções. Ganimard acomodou-se ao seu lado e disse a seus homens:

— Desçam pela escada enquanto vamos de elevador. Esperem-me em frente à cabine da zeladora. Combinado?

Puxou a porta. Mas ela ainda não se fechara quando ressoaram gritos.

Num pulo, o ascensor subira como um balão do qual cortaram o cabo. Uma gargalhada reverberou, sardônica.

— Miserável... — berrou Ganimard, procurando freneticamente no escuro o botão para descer.

E, como não o encontrava, gritou:

— O quinto! Vigiem a porta do quinto.

De quatro em quatro, os policiais subiram as escadas. Mas aconteceu um fato estranho: o elevador parecia furar o teto do último andar, sumir dos olhos dos oficiais, de repente emergir no andar superior, dos criados, e parou. Três homens observaram quem abriu a porta. Dois deles dominaram Ganimard, que, envergonhado de seus movimentos, estupefato, mal pensou em se defender. O terceiro pegou Lupin.

— Eu tinha lhe avisado, Ganimard... a subida no balão... e graças a você! Seja menos piedoso em outra ocasião. E, sobretudo, lembre-se de que Arsène Lupin não permite que o surrem e ridicularizem sem bons motivos.

— Adeus...

A cabine já estava novamente fechada e o elevador, com Ganimard, fora despachado novamente para os andares inferiores. E tudo isso foi executado tão depressa que o velho policial ainda alcançou os agentes perto da cabine da zeladora.

Sem sequer se comunicarem, atravessaram o pátio correndo e subiram pela escada de serviço, único meio de chegar ao andar dos criados por onde a fuga se dera.

Um longo corredor com várias curvas e rodeado por pequenas salas numeradas conduzia a uma porta que tinha sido empurrada para trás; do outro lado dessa porta, e por conseguinte em um outro prédio, se via outro corredor, igualmente com ângulos quebrados e ladeado por quartos semelhantes. Ao fundo, uma escada de serviço. Ganimard desceu por ela, atravessou um pátio, um corredor e se lançou pela rua Picot. Então compreendeu: os dois prédios, construídos em profundidade, se tocavam, e suas fachadas davam para duas ruas, não perpendiculares, mas paralelas, e distantes uma da outra por mais de sessenta metros.

Entrou na cabine da zeladora e, mostrando sua carteira, perguntou:

— Quatro homens acabam de passar por aqui?

— Sim, os criados do quarto e do quinto e dois amigos.

— Quem mora no quarto e no quinto?

— Os Srs. Fauvel e seus primos Provost... Eles se mudaram hoje. Só ficaram esses dois criados. Eles acabam de sair.

"Ah!" pensou Ganimard, sentando-se num sofá da cabine. Que belo golpe deixamos de dar! O bando inteiro ocupava esse bloco de prédios!

Quarenta minutos mais tarde, dois senhores chegavam de carro à Gare du Nord e corriam até o trem expresso de Calais, seguidos por um carregador com suas malas.

Um deles tinha um braço na tipoia, e seu rosto pálido não exibia um aspecto saudável. O outro parecia vigoroso.

— Corra, Wilson, não podemos perder o trem... Ah, Wilson, nunca esquecerei estes dez dias!

— Eu também não.

— Ah! Que belas batalhas!

— Espetaculares.

— Exceto, aqui e ali, alguns pequenos aborrecimentos...

— Muito pequenos.

— E finalmente o triunfo, de ponta a ponta. Lupin preso! O diamante azul recuperado!

— Meu braço quebrado.

— Quando estão em jogo satisfações desse tipo, o que é um braço quebrado!

— Sobretudo o meu.

— Exatamente! Lembre-se, Wilson, foi justamente no momento em que você estava com o farmacêutico, sofrendo como um herói, que descobri o fio que me guiou nas trevas.

— Que feliz coincidência!

As portas se fechavam.

— Para o vagão, por favor. Estamos na hora, cavalheiros.

O carregador subiu os degraus de um compartimento vazio e dispôs as malas no aparador, enquanto Sholmes ajudava o infeliz do Wilson.

— Mas o que você tem, Wilson! Não termina com isso! Mais coragem, velho camarada...

— Não é coragem que me falta.
— Então o que é?
— Só tenho uma das mãos disponível.
— E daí? Perguntou Sholmes. Chega de conversa fiada. Parece até que você é a única pessoa nesse estado. E quem tem só um braço? Não faça drama.

Estendeu ao carregador uma moeda de cinquenta cêntimos.
— Ótimo, meu amigo. Aqui para você.
— Obrigado, Sr. Sholmes.

O inglês ergueu os olhos:
— Arsène Lupin.
— O senhor... O senhor! — balbuciou, estupefato.

E Wilson gaguejou, agitando sua única mão com gestos de alguém que demonstra um fato:
— O senhor! O senhor! Mas o senhor está preso! Sholmes me contou. Quando ele se despediu, Ganimard e seus trinta agentes o cercavam...

Lupin cruzou os braços e, indignado:
— Então você achou que eu iria deixar você ir sem me despedir de você? Depois da amizade que nunca deixamos de ter um com o outro! Mas esse seria o último erro. Por quem você me toma?

O trem estava apitando.
— Finalmente o perdoo... Mas tem tudo de que precisa? Fumo, fósforos... sim... e os jornais noturnos? Neles encontrará detalhes sobre minha prisão, sua última conquista, mestre. E agora, tchau. Foi um prazer conhecê-lo, de verdade...! Caso precise de mim, ficarei muito feliz...

Ele saltou para a plataforma e fechou a porta.
— Adeus — repetiu, agitando um lenço. — Adeus, escreverei... O senhor também, combinado? E seu braço quebrado, Sr. Wilson? Espero notícias dos dois... Um cartão postal de quando em quando... Como endereço: Lupin, Paris... Isso é suficiente. Não precisa selar... Adeus, até breve...

A LÂMPADA JUDAICA

Capítulo 1

Herlock Sholmes e Wilson estavam sentados à beira da lareira. O cachimbo de Sholmes, feito de madeira de urze com uma ponteira de prata, se apagou. Esvaziou as cinzas, tornou a enchê-lo, acendeu-o, esticou o roupão até os joelhos e tirou longas baforadas do cachimbo, que soprou para o teto, formando pequenos anéis de fumaça.

Wilson olhava para ele como um cachorro deitado encolhido no tapete da sala olha seu dono, com olhos arregalados, que não piscam, olhos que não têm outra esperança senão corresponder ao gesto esperado. O mestre iria quebrar o silêncio? Iria revelar-lhe o segredo de sua divagação atual e admiti-lo no reino da meditação do qual Wilson parecia excluído?

Sholmes estava em silêncio.

Wilson arriscou:

— Os tempos estão calmos. Nenhum caso novo para nós.

Sholmes continuava mais silencioso ainda, mas seus anéis de fumaça estavam cada vez mais perfeitos, e qualquer outro que não Wilson teria percebido que deriva disso a profunda satisfação que dão esses pequenos deleites de autoestima, nas horas em que o cérebro está completamente vazio de pensamentos.

Wilson levantou-se e foi até a janela, desanimado.

A rua se estendia entre as fachadas sombrias das casas, sob um céu negro de onde caía uma chuva forte e ruidosa. Um táxi passou. Wilson escreveu os números em seu caderno. Vai saber...

— Aqui! — gritou o carteiro.

O homem entrou, conduzido por um criado.

— Duas cartas registradas, senhor... poderia fazer o favor de assinar?

Sholmes assinou o recibo, acompanhou o homem até a porta e voltou, abrindo uma das cartas.

— Você parece muito feliz! — observou Wilson depois de um momento.

— Essa carta contém uma proposta bem interessante. Você sentia falta de um caso novo. Aqui está um. Leia!

— Wilson leu:

"*Senhor,*

Venho pedir-lhe a sua ajuda. Fui vítima de um roubo e a investigação feita até agora não parece ter dado certo.

Envio-lhe por este correio alguns jornais que o informarão sobre este caso e, se assim o desejar, coloco o meu hotel à sua disposição e peço-lhe que escreva no cheque anexo, assinado por mim, o valor que o senhor considerar necessário para suas despesas de viagem.

Por favor, telegrafe sua resposta para mim e aceite, senhor, os meus sentimentos de alta consideração.
Barão Victor d'Imblevalle, 18, rua Murillo."

— Isso promete ser maravilhoso... Uma pequena viagem a Paris, afinal, por que não? Desde meu famoso duelo com Arsène Lupin, não tive oportunidade de voltar. Não me aborreceria ver a capital do mundo em condições um pouco mais tranquilas.

Rasgou o cheque em quatro e, enquanto Wilson, cujo braço não recuperara a flexibilidade, pronunciava palavras amargas contra Paris, abriu o segundo envelope.

Sholmes teve um gesto de irritação, franziu a testa durante a leitura e, amassando o papel, o atirou com violência no assoalho.

— O quê? O que é isso? — perguntou Wilson, assustado. Recolheu o papel amassado e leu com um estupor crescente:

"Meu querido Mestre,
Você sabe a admiração que tenho por você e o interesse que tenho por sua reputação. Bem, acredite em mim, não se preocupe com o negócio em que foi convidado a participar. Sua intervenção causaria um grande dano, todos os seus esforços trariam apenas um resultado lastimável e você teria que admitir publicamente sua derrota.
Desejoso de poupar-lhe tal humilhação, imploro-lhe, em nome da nossa amizade, que fique quieto ao lado da sua lareira.
Minhas boas lembranças ao Sr. Wilson, e para você, meu querido mestre, a respeitosa homenagem de seu devotado.
Arsène Lupin"

— Arsène Lupin!... — repetiu Wilson, confuso.
Sholmes começou a bater a mesa com os punhos.
— Ah! Mas, ele está começando a me irritar. Ele está zombando de mim como uma criança! A confissão pública do meu fracasso! Não o fiz devolver o diamante azul?
— Ele está com medo — insinuou Wilson.
— Não diga bobagens! Arsène Lupin nunca tem medo, a prova disso é que me provoca.
— Mas como ele ficou sabendo da carta enviada pelo barão d'Imblevalle?
— Você faz umas perguntas estúpidas, meu caro!
— Pensei... imaginei...
— O quê? Que sou um mago?
— Não, mas já o vi fazer maravilhas!
— Ninguém realiza maravilhas... nem eu nem outro qualquer. Reflito, deduzo, concluo, mas não adivinho. Só os tolos adivinham.

Wilson assumiu o comportamento modesto de um cachorro que apanhou e procurou, para não parecer tolo, não adivinhar por que Sholmes perambulava pela sala com passadas largas e irritadas. Mas, como Sholmes chamou o criado e pediu sua mala, Wilson julgou-se no direito de refletir, deduzir e concluir que o mestre partia em viagem. Arriscou perguntar:

— Herlock, você vai a Paris?
— Possível.
— E vai mais para responder à provocação de Lupin do que para ajudar o barão d'Imblevalle.
— Possível.
— Herlock, vou com você.
— Não teme que seu braço esquerdo tenha o mesmo destino do direito?
— O que pode me acontecer? Você estará lá.
— Ótimo, camarada! E mostraremos a esse senhor que ele talvez esteja errado ao desafiar-nos de forma tão descarada! Rápido, Wilson, nos encontramos no primeiro trem.
— Sem esperar os jornais que o barão disse que enviou?
— Para quê!
— Vou mandar um telegrama!
— Inútil, Arsène Lupin saberá da minha chegada. Não ligo. Desta vez, Wilson, temos que jogar pesado.

À tarde, os dois amigos embarcavam em Dover. No rápido Calais-Paris, Sholmes dormiu três horas do sono mais profundo, enquanto Wilson permanecia vigilante na porta da cabine e meditava.

Sholmes acordou revigorado. A perspectiva de um novo duelo com Arsène Lupin o arrebatava e ele esfregava as mãos com o ar satisfeito de um homem que se prepara para saborear novas aventuras.

— Finalmente — exclamou Wilson —, vamos esticar as pernas!

E esfregou as mãos com o mesmo ar satisfeito.

Na estação, Sholmes pegou os casacos. Seguido por Wilson, que carregava as malas.

— Que tempo agradável, Wilson... Sol! Paris está em festa para nos receber.
— Quanta gente!
— Ótimo, Wilson! Não corremos o risco de ser notados. Ninguém nos reconhecerá no meio dessa multidão!
— Sr. Sholmes, correto?

O detetive parou, surpreso. Quem nessa terra poderia chamá-lo pelo nome?

Ao seu lado, uma mulher, uma jovem, cuja roupa muito simples realçava a figura distinta, e cujo belo rosto exibia uma expressão inquieta e dolorida.

Ela repetiu:

— O senhor não é o Sr. Sholmes?

Como ele se calava, perplexo e com um pé atrás, ela repetiu pela terceira vez:

— É de fato com o Sr. Sholmes que tenho a honra de falar?

— O que você quer de mim? — Ele retrucou, bastante rude, achando que era um encontro duvidoso.

Ela se plantou à sua frente.

— Ouça, é muito sério, sei que o senhor está a caminho da rua Murillo.

— O que está dizendo?

— Sei de tudo... rua Murillo... número 18. Preste atenção, não faça isso... Não vá... Asseguro-lhe que se arrependeria. Não pense que tenho qualquer interesse na coisa. É em nome da razão, é com toda a consciência.

Ele tentou empurrá-la de lado, mas ela insistiu:

— Oh, por favor, não seja obstinado...! Se eu soubesse como convencê-lo! Olhe bem para mim, no fundo dos meus olhos... são sinceros... dizem a verdade.

Ela oferecia seus olhos com comoção, aqueles belos olhos límpidos, onde a própria alma parecia refletir. Wilson balançou a cabeça:

— A senhorita parece bastante sincera.

— Claro que sim — ela implorou —, os senhores precisam confiar...

— Eu confio, senhorita — afirmou Wilson.

— Oh! Como estou feliz! E seu amigo também, não é? Sinto isso... tenho certeza! Que felicidade! Tudo vai se arranjar! Ah, que boa ideia eu tive! Veja, senhor, há um trem para Calais dentro de vinte minutos. Pois bem, o senhor embarcará nele... Depressa, sigam-me. O caminho é deste lado, e os senhores só têm tempo para...

Ela procurava arrastá-lo. Sholmes agarrou-lhe o braço e disse, com uma voz que queria fazer soar tão doce quando possível:

— Desculpe, senhorita, por não poder ceder ao seu desejo, mas nunca largo um trabalho no meio.

— Eu lhe imploro, se o senhor pudesse compreender!

Ele não a ouviu e se afastou rapidamente.

Wilson disse à moça:

— Tenha esperança... ele irá até o fim do caso... ainda não há exemplo de ter fracassado... — E alcançou Sholmes, correndo.

Herlock Sholmes — Arsène Lupin

Essas palavras, que se destacavam em letras grandes e pretas os impressionaram assim que deram os primeiros passos. Aproximaram-se; um bando de homens com tabuletas circulavam, um atrás do outro, carregando nas mãos pesadas bengalas chumbadas com que batiam na calçada ritmicamente, e, nas costas, enormes tabuletas, nos quais era possível ler:

"Confronto Herlock Sholmes vs. Arsène Lupin. Chegada do campeão inglês. O grande detetive enfrenta o mistério da rua Murillo. Leiam detalhes no *Écho de France*."

Wilson balançou a cabeça:

— E então, Herlock, nós que nos orgulhávamos de trabalhar incógnitos! Não me admiraria se a guarda republicana estivesse nos esperando na rua Murillo e houvesse recepção oficial, com brindes e champanhe.

— Quando quer ser irônico, Wilson, você vale por dois — resmungou Sholmes.

Então avançou na direção de um daqueles homens com o nítido propósito de agarrá-lo com suas mãos poderosas e reduzi-lo a pó, junto com a tabuleta. A multidão, no entanto, se aglomerava em torno das tabuletas. Faziam piadas e riam.

Reprimindo um furioso acesso de raiva, ele perguntou ao homem:

— Quando você foi contratado?

— Hoje de manhã.

— E quando começou seu trabalho?

— Há uma hora.

— Mas os cartazes estavam prontos?

— Quando fomos hoje de manhã à agência, já estavam lá.

Significa que Arsène Lupin previra que ele, Sholmes, aceitaria o desafio. E mais, a carta escrita por Lupin era prova de que ele desejava mais uma batalha com o rival. Por quê? Que motivo o levava a recomeçar a luta?

Herlock teve um segundo de hesitação. Era preciso que Lupin tivesse certeza absoluta da vitória para ser tão arrogante. Diante disso, responder ao primeiro chamado não seria cair na armadilha?

— Cocheiro, rua Murillo, 18! — exclamou, num repente de energia.

E, com as veias saltadas, os punhos cerrados como se fosse entrar num ringue de boxe, ele seguiu junto com Wilson para a rua Murillo.

A rua Murillo é cercada por luxuosas mansões, cuja fachada posterior dá para o Parc Monceau. Uma das mais belas dessas residências fica no número 18, e o barão d'Imblevalle, que ali mora com sua esposa e filhos, a mobiliou da maneira mais suntuosa, como artista e milionário. Um pátio principal precede a mansão e as dependências circundam-na à direita e à esquerda. Atrás, um jardim mistura os galhos de suas árvores com as árvores do parque.

Depois de tocar a campainha, os dois ingleses atravessaram o pátio e foram recebidos por um criado que os conduziu a um pequeno salão situado na fachada dos fundos.

Sentaram-se e observaram os objetos preciosos que decoravam esse salão.

— Coisas bonitas — murmurou Wilson —, bom gosto e imaginação. Podemos deduzir que os que tiveram tempo para escolher tais objetos são gente de certa idade... Pelo menos cinquenta anos talvez...

Não terminou. A porta se abriu e o senhor d'Imblevalle entrou, seguido de sua mulher.

Ao contrário das deduções de Wilson, os dois eram jovens, de aspecto elegante, e intensos nos gestos e nas palavras. Ambos estavam muito gratos.

— É muito amável de sua parte! Tamanho incômodo! Estamos animados com o problema que vivemos, uma vez que isso nos quebra a monotonia...

"Que sedutores esses franceses!" pensou Wilson, que não fugia de uma constatação verdadeiramente relevante.

— Mas tempo é dinheiro... — exclamou o barão. Principalmente o seu, Sr. Sholmes. Portanto, direto ao ponto. O que pensa do caso? Espera desvendar?

— Para elucidá-lo, preciso primeiro conhecê-lo.

— Não o conhece?

— Não, e peço que me explique as coisas detalhadamente e sem omitir nada. Do que se trata?

— Trata-se de um roubo.

— Em que dia ele se deu?

— No último sábado — respondeu o barão —, na noite de sábado para domingo.

— Faz então seis dias. É preciso primeiro dizer, senhor, que minha esposa e eu, conformando-nos com o tipo de vida que nossa situação exige, saímos pouco. A educação dos nossos filhos, umas poucas recepções e o embelezamento do nosso interior, esta é a nossa existência, e todas as nossas noites, ou mais ou menos, passam aqui, nesta sala que é o aposento predileto da minha mulher e onde nós reunimos alguns objetos de arte. Então, no sábado passado, por volta das onze horas, desliguei a eletricidade e minha esposa e eu nos retiramos para o nosso quarto como de costume.

— E onde fica...?

— Ao lado, esta porta que o senhor vê. No dia seguinte, isto é, domingo, levantei cedo. Como Suzanne, minha mulher, ainda dormia, entrei nesse aposento o mais discretamente possível para não acordá-la. Qual não foi meu espanto ao constatar que essa janela estava aberta, quando, na noite da véspera, a havíamos fechado!

— Um criado...

— Ninguém entra aqui de manhã antes de chamarmos. Além disso, tomo sempre a precaução de empurrar o trinco dessa segunda porta, que se comunica com a antecâmara. Logo, a janela foi realmente aberta pelo lado de fora. Tive aliás a prova disso: o segundo vidro da janela da direita, perto do puxador, foi cortado.

— E essa janela?

— A janela, como podem ver, dá para um pequeno terraço cercado por uma sacada de pedra. Estamos aqui no primeiro andar e o senhor vê o jardim que se estende atrás da casa e o portão que o separa do parque Monceau. Temos então certeza de que o homem veio do parque Monceau, pulou o portão com a ajuda de uma escada e subiu até o terraço.

— Certeza?

— Encontramos de ambos os lados do portão, na terra fofa dos canteiros, buracos deixados pelas duas hastes da escada, e os dois mesmos buracos existiam ao pé do terraço. Enfim, encontramos dois leves arranhões, na sacada, causados evidentemente pelo contato da escada.

— O parque Monceau não fica fechado à noite?

— Fechado, mas, mesmo assim, há uma casa em construção no número 14. Seria fácil entrar por ali.

Herlock Sholmes refletiu um momento e continuou:

— Vamos ao roubo. Ele teria sido cometido no aposento onde nos encontramos?

— Sim. Havia, entre essa Virgem do século XII e esse tabernáculo em prata cinzelada, uma pequena lâmpada judaica. Ela desapareceu.

— E foi tudo?

— Tudo.

— E o que é uma lâmpada judaica?

— São luminárias de cobre usadas nos tempos antigos, compostas de uma alça e um recipiente onde se colocava o óleo. Desse recipiente saíam dois ou três bicos destinados aos pavios.

— São objetos sem grande valor.

— Mas essa lâmpada possuía um esconderijo onde costumávamos guardar uma magnífica joia antiga, uma quimera de ouro, incrustada com rubis e esmeraldas muito valiosa.

— Por que esse esconderijo?

— Talvez a simples diversão de utilizar um esconderijo incomum.

— Ninguém o conhecia?

— Ninguém.

— Exceto, evidentemente, o ladrão da quimera. — objetou Sholmes. — Sem o que ele não teria se dado ao trabalho de roubar a lâmpada judaica.

— Evidentemente. Mas como ele podia conhecê-lo, uma vez que foi o acaso que nos revelou o mecanismo secreto dessa lâmpada?

— O mesmo acaso pôde revelá-lo a alguém... um criado... um frequentador da casa... Mas continuemos: fizeram queixa?

— Com certeza. O juiz de instrução fez sua investigação. Os repórteres policiais vinculados a todos os grandes jornais fizeram a deles. Mas, como lhe escrevi, parece que o problema não tem qualquer chance de vir a ser solucionado.

Sholmes se levantou, dirigiu-se à janela, examinou o vidro, o terraço, a sacada, recorreu à sua lupa para estudar os dois arranhões na pedra, e pediu ao Sr. d'Imblevalle que o conduzisse ao jardim.

Lá fora, Sholmes sentou numa poltrona e observou o telhado da casa com um olhar concentrado. Em seguida, dirigiu-se subitamente aos dois pequenos caixotes com os quais haviam coberto, a fim de conservar a marca exata, os buracos deixados ao pé do terraço pelas hastes da escada. Retirou os caixotes, pôs-se de joelhos no chão, curvando-se até ficar com o nariz próximo ao solo, e tomou medidas. Fez a mesma operação ao longo do portão.

Os dois homens retornaram ao aposento, onde os esperava a Sra. d'Imblevalle.

Sholmes manteve-se calado por alguns minutos ainda, depois pronunciou estas palavras:

— Desde o início do seu relato, senhor barão, fiquei impressionado com o lado simples do golpe. Apoiar uma escada, cortar o vidro de uma janela, escolher um objeto e ir embora. Não, as coisas não se passam com tanta facilidade. Tudo isso é claro demais.

— De modo que...?

— De modo que o roubo da lâmpada judaica foi cometido sob a supervisão de Arsène Lupin.

— Arsène Lupin! — Exclamou o barão.

— Mas foi cometido sem a sua participação, sem que ninguém entrasse na casa. Um criado talvez possa ter descido de seu sótão no terraço, ao longo de uma calha que percebi do jardim.

— Mas com que provas?

— Arsène Lupin não teria saído do aposento com as mãos vazias.

— Mãos vazias! E a lâmpada?

— Pegar a lâmpada não o teria impedido de pegar essa caixa de rapé adornada com diamantes ou esse colar de opalas antigas. Bastavam-lhe dois gestos a mais.

Se ele não os executou, é porque não viu.

— Mas e os indícios detectados?

— Teatro! Encenação para desviar as suspeitas.

— E as marcas?

— Piada! Foram produzidos com uma lixa. Veja, eis alguns resíduos que recolhi.

— As marcas deixadas pelas hastes da escada?

— Piada! Examine os dois buracos retangulares ao pé do terraço e os dois buracos situados junto ao portão. Sua forma é semelhante, mas, paralelos aqui, deixam de sê-lo. Meça a distância que separa cada buraco do outro. A distância muda conforme o lugar. Ao pé do terraço, é de 23 centímetros. Ao longo do portão, é de 28 centímetros.

— E disso o senhor conclui...?

— Concluo, uma vez que sua forma é idêntica, que os quatro buracos foram feitos com a ajuda de um único pedaço de madeira adequadamente modelado.

— A melhor comprovação seria o próprio pedaço de madeira.

— Ei-lo — disse Sholmes —, recolhi-o no jardim, sob o vaso de um loureiro.

O barão se inclinou. Havia quarenta minutos que o inglês atravessara o umbral daquela porta, e não restava mais nada de tudo que haviam estabelecido até ali com base nos fatos manifestos. Surgia a realidade, uma outra realidade, fundada em algo muito mais sólido: o raciocínio de Herlock Sholmes.

— A acusação que o senhor lança contra os nossos criados é muito grave, protestou a baronesa. — Nossos criados trabalham para a família há gerações e nenhum deles é capaz de nos trair.

— Se um deles não os traiu, como explicar que essa carta tenha chegado no mesmo dia, e pelas mãos do mesmo carteiro, que aquela que os senhores me escreveram?

E ele estendeu a carta que Arsène Lupin lhe dirigira.

A Sra. d'Imblevalle ficou estupefata.
— Arsène Lupin... como ele soube?
— Não informou a ninguém de sua carta?
— Ninguém — disse o barão —, foi uma ideia que tivemos à mesa, na outra noite.
— Na frente dos criados?
— Só havia nossas duas filhas. Aliás, não... Sophie e Henriette não estavam mais à mesa, não é, Suzanne?

A Sra. d'Imblevalle refletiu e afirmou:
— De fato, já estavam com a senhorita.
— Senhorita? — indagou Sholmes.
— A governanta, senhorita Alice Demun.
— Essa pessoa então não faz as refeições com os senhores?
— Não, ela é servida à parte, em seu quarto.

Wilson teve uma ideia.
— A carta escrita ao meu amigo Herlock Sholmes foi posta no correio.
— Naturalmente.
— Quem então a levou?
— Dominique, meu criado de quarto há vinte anos — respondeu o barão. Qualquer desconfiança nessa direção seria tempo perdido.
— Nunca se perde tempo quando se procura — sentenciou Wilson.

O interrogatório inicial estava terminado. Sholmes pediu permissão para se retirar.

Uma hora depois, no jantar, ele conheceu Sophie e Henriette, as duas filhas dos d'Imblevalle, duas bonitas meninas de oito e seis anos. Conversaram pouco. Sholmes respondeu às amabilidades do barão e de sua mulher com um ar tão taciturno que eles optaram pelo silêncio. Serviram café. Nesse momento, um criado entrou, trazendo uma mensagem passada por telefone e dirigida ao detetive. Ele abriu e leu:

"*Envio-lhe minha admiração entusiástica. As conclusões obtidas pelo senhor em tão pouco tempo são estonteantes. Estou perplexo.*
Arsène Lupin"

Com um gesto de irritação, ele mostrou a mensagem ao barão:
— Acredita agora, senhor, que suas paredes têm olhos e ouvidos?
— Não estou entendendo nada — balbuciou o senhor d'Imblevalle, atônito.
— Eu tampouco. O que compreendo é que nenhum movimento é feito aqui sem que seja percebido por ele. Nenhuma palavra é pronunciada sem que ele ouça.

Naquela noite, Wilson dormiu com a consciência leve de quem cumpriu seu dever e não tem outra missão a não ser dormir. Assim, dormiu muito rápido e teve belos sonhos, nos quais perseguia Lupin sozinho e se preparava para detê-lo com as próprias mãos, e a sensação dessa perseguição era tão nítida que ele acordou.

Alguém encostava em sua cama. Ele pegou o revólver.

— Mais um gesto, Lupin, e eu atiro.

— Que precipitação, velho camarada!

— Como? É você, Sholmes?! Precisa de mim?

— Preciso dos seus olhos. Levante-se. Levou-o até a janela. Veja... do outro lado do portão...

— No parque?

— Sim. Não vê nada?

— Não vejo nada.

— Sim, você vê alguma coisa.

— Ah, uma sombra... duas até.

— Não é mesmo? Encostadas no portão. Repare, estão se mexendo. Não percamos mais tempo.

Guiando-se pelo corrimão, desceram a escada e saíram num cômodo que dava para a escada do jardim. Através dos vidros da porta, perceberam os dois vultos no mesmo lugar.

— É curioso — disse Sholmes, tenho a impressão de ouvir barulho na casa.

— Na casa? Impossível! Todos dormem.

— Em todo caso, escute...

Nesse momento, um assobio soou baixinho do lado do portão. Eles perceberam uma luz difusa que parecia vir da mansão.

— Os d'Imblevalle devem ter acendido a luz — murmurou Sholmes. É o quarto deles que fica em cima do nosso.

— Sem dúvida foram eles que ouvimos — concordou Wilson. Talvez estejam vigiando o portão.

Um segundo assobio, ainda mais baixo.

— Não compreendo — disse Sholmes, irritado.

— Eu tampouco — confessou Wilson.

Sholmes girou a chave da porta, tirou o trinco e empurrou delicadamente o batente.

Um terceiro assobio, este um pouco mais alto.

Acima de suas cabeças, o barulho aumentou.

— Está parecendo vir do terraço do aposento — sussurrou Sholmes.

Ele passou a cabeça pelo vão, mas imediatamente recuou. Foi a vez de Wilson olhar. Rente a eles, uma escada achava-se recostada na parede, apoiada no balcão da sacada.

— Oh, mas é claro — constatou Sholmes —, há alguém no aposento! Eis o que ouvíamos. Rápido, retiremos a escada.

Nesse instante, porém, uma forma deslizou de cima para baixo, a escada foi retirada e o homem que a carregava correu a toda a pressa na direção do portão, onde seus cúmplices o esperavam. Num pulo, Sholmes e Wilson dispararam.

Alcançaram o homem quando ele apoiava a escada no portão.

Do outro lado, dois tiros foram disparados.

— Ferido? — perguntou Sholmes.

— Não — respondeu Wilson.

Este agarrou o homem pelo tronco e tentou imobilizá-lo. Mas o homem voltou-se, agarrou-o com uma das mãos e com a outra espetou uma faca no meio do seu peito. Wilson deu um suspiro, cambaleou e caiu.

— Maldição! — berrou Sholmes. — Se o mataram, eu mato.

Ele deitou Wilson no gramado e correu para a escada. Tarde demais... o homem a subira e, recebido por seus cúmplices, fugia por entre os arbustos.

— Wilson, Wilson, não é sério, é? Um simples arranhão.

As portas da mansão se abriram bruscamente. O senhor d'Imblevalle apareceu primeiro, depois os criados, trazendo velas.

— O que aconteceu? — perguntou o barão. — O senhor Wilson está ferido?

— Nada, um simples arranhão — repetiu Sholmes, procurando se iludir.

O sangue corria em abundância e o rosto do ferido estava lívido. O médico, vinte minutos depois, constatava que a ponta da faca parara a quatro milímetros do coração.

— Quatro milímetros do coração! Esse Wilson sempre teve sorte — concluiu Sholmes, num tom de inveja.

— Sorte... sorte... — resmungou o médico.

— Ora, essa robusta constituição, ele vai se recuperar. Com seis semanas de cama e dois meses de convalescença.

— Não mais?

— Não, a menos que haja complicações.

— Por que diabos acha que haverá complicações?

Totalmente tranquilizado, Sholmes juntou-se ao barão na alcova. Dessa vez, o misterioso visitante não exibira a mesma discrição. Sem pudor, furtara a caixa de rapé incrustada de diamantes, o colar de opalas e, de maneira geral, tudo que podia caber nos bolsos de um assaltante.

A janela ainda estava aberta, um dos vidros havia sido literalmente cortado e, quando já amanhecia, um inquérito sumário, estabelecendo que a escada provinha da casa em construção, indicou o caminho que haviam seguido.

— Em síntese — disse o senhor d'Imblevalle com alguma ironia —, é a repetição exata do roubo da lâmpada judaica.

— Sim, se aceitarmos a primeira versão adotada pela investigação.

— Continua a refutá-la? Esse segundo roubo não muda sua opinião sobre o primeiro?

— Confirma-a, cavalheiro.

— Será possível! O senhor tem a prova incontestável de que a agressão dessa noite foi cometida por alguém de fora e persiste em sustentar que a lâmpada judaica foi subtraída por alguém ao nosso redor?

— Por alguém que mora nesta casa.

— Então como explica?

— Eu não explico nada, senhor, constato dois fatos que não têm um com o outro senão relações de aparência, julgo-os isoladamente, e procuro o laço que os une.

Sua convicção parecia tão profunda, sua maneira de agir fundada em motivos tão fortes, que o barão se rendeu:

— Vamos avisar o delegado...

— Em hipótese alguma! — exclamou enfaticamente o inglês. Pretendo me dirigir a essas pessoas apenas quando precisar delas.

— Mas e os tiros?

— Não interessa!

— Seu amigo?

— Meu amigo só está ferido. Faça com que o médico se cale. Respondo por tudo do lado da justiça.

Passaram dois dias sem quaisquer incidentes, mas durante os quais Sholmes prosseguiu seu trabalho com um cuidado minucioso e indignado pela lembrança da audaciosa agressão, executada diante de seus olhos, que apesar de sua presença, e sem que ele pudesse fazer nada para evitá-la. Incansável, o detetive vasculhou a mansão e o jardim, conversou com os criados e fez longas incursões na cozinha e no estábulo. Embora não recolhesse nenhum indício que o esclarecesse, ele não desanimou.

"Acharei", pensava, "e é aqui que acharei. Não se trata, como no caso da mulher loira, de caminhar ao acaso, e alcançar, por caminhos que eu ignorava, um objetivo desconhecido. Dessa vez estou no próprio campo de batalha. O inimigo não é mais apenas o inatingível Lupin, é o cúmplice de carne e osso que vive e se move nos limites deste palacete. O menor detalhe e eu descubro."

Esse detalhe, do qual ele devia obter a consequência, e com uma habilidade tão prodigiosa que podemos considerar o caso da lâmpada judaica um daqueles em que brilha mais vitoriosamente seu gênio de policial, esse detalhe, foi o acaso que forneceu a ele.

Na tarde do terceiro dia, ao entrar na sala acima do aposento, que servia de sala de estudos para as crianças, ele encontrou Henriette, a filha mais nova. Procurava sua tesoura.

— Sabe — ela disse a Sholmes —, também faço papéis como você recebeu a outra noite.

— A outra noite?

— É, no fim do jantar. Você recebeu um papel com tiras em cima... você sabe, um telegrama... Pois então, também sei fazer.

Ela saiu. Para qualquer outro, essas palavras não teriam significado nada senão uma reflexão de criança, e Sholmes, por sua vez, escutou-as com um ouvido distraído enquanto fazia sua inspeção. Mas, de repente, começou a correr atrás da criança cuja última frase tanto o impressionou. Alcançou-a no topo da escada e lhe perguntou:

— Quer dizer que você também cola tiras no papel?

Henriette, toda prosa, declarou:

— Claro que sim, corto palavras e colo.
— E quem lhe ensinou esse joguinho?
— A senhorita... minha governanta... Vi ela fazendo igual. Ela recorta palavras dos jornais e cola.
— E o que ela faz com isso?
— Telegramas, cartas que ela manda.

Herlock Sholmes voltou à sala de estudos, intrigado por essa confidência e se esforçando em extrair dela as deduções que comportava.

Havia um maço de jornais sobre a lareira. Ele os abriu e, viu grupos de palavras ou linhas que faltavam, retiradas com precisão e minúcia. Mas bastou que lesse as palavras que as precediam ou seguiam para constatar que as palavras ausentes haviam sido recortadas ao acaso da tesoura, por Henriette evidentemente. Era possível que, no maço dos jornais, houvesse um que a senhorita tivesse recortado pessoalmente. Mas como ter certeza disso?

Herlock folheou os livros escolares empilhados sobre a mesa, depois outros que estavam nas prateleiras de uma estante. E súbito deu um grito de alegria. Num canto dessa estante, sob velhos cadernos amontoados, encontrara um álbum para crianças, um alfabeto ilustrado, e, numa das páginas desse álbum, topou com um espaço vazio.

Era a nomenclatura dos dias da semana. Segunda-feira, terça-feira, quarta-feira etc. Faltava a palavra sábado. Ora, o roubo da lâmpada judaica acontecera na noite de um sábado.

Herlock sentiu aquele ligeiro aperto do coração que sempre lhe anunciava, da maneira mais clara, ter chegado ao âmago de uma intriga. Impaciente e confiante, folheou o álbum. Um pouco adiante, outra surpresa o esperava.

Era uma página que estampava letras maiúsculas, seguidas por uma linha de algarismos.

Nove dessas letras e três desses algarismos haviam sido retiradas cuidadosamente.

Sholmes escreveu-os na sua caderneta, seguindo as lacunas pela ordem, e obteve o seguinte resultado: CDEHNOPRS-237

— Meu Deus — murmurou —, a princípio isso não significa muita coisa.

Seria possível, misturando aquelas letras e usando todas elas, formar uma, ou duas, ou três palavras completas?

Sholmes tentou isso em vão.

Apenas uma solução se apresentou a ele, e que, com o tempo, lhe pareceu a verdadeira, tanto porque correspondia à lógica dos fatos como porque coincidia com as circunstâncias gerais.

Dado que a página do álbum não comportava senão uma única vez cada uma das letras do alfabeto, era provável, que estava em presença de palavras incompletas e que essas palavras haviam sido completadas por letras retiradas de outras páginas. Nessas condições, e salvo erro, o enigma se colocava assim:

RESPOND. CH 237

A primeira palavra era clara: responde com um E faltando porque a letra E, já empregada, não estava mais disponível.

Quanto à segunda palavra inacabada, indubitavelmente, formava junto com o número 237 o endereço que o remetente fornecia ao destinatário da carta. Propunha-se primeiro estabelecer o dia no sábado e pedia-se uma resposta para o endereço CH.237.

Ou CH.237 era a senha de uma caixa postal, ou as letras CH faziam parte de uma palavra incompleta. Sholmes folheou o álbum: nenhum outro recorte fora efetuado nas páginas seguintes. Logo, era preciso, até nova ordem, ater-se à explicação encontrada.

— Divertido, não é mesmo?

Henriette voltara. Ele respondeu:

— E como! Mas não tem outros papéis...? Ou palavras já recortadas e que você poderia colar?

— Papéis? Não... E, depois, a senhorita não ficaria contente.

— A senhorita?

— É, ela já me deu uma bronca.

— Por quê?

— Porque eu lhe contei coisas... ela disse que é feio contar coisas sobre quem a gente gosta.

— Você tem toda a razão.

Henriette pareceu deslumbrada com a aprovação, tão deslumbrada que tirou de uma bolsinha de pano, presa no seu vestido, alguns berloques, três botões, dois torrões de açúcar e, finalmente, um quadrado de papel que ela estendeu a Sholmes.

— Tome, dou para você mesmo assim. É o número de um táxi: 8279.

— De onde vêm esse número?

— Caiu do porta-moedinhas dela.

— Quando?

— Domingo, na missa, quando ela pegava dinheiro para doação da igreja.

— Perfeito. E agora vou lhe ensinar um jeito de não levar bronca. Não conte à senhorita que se encontrou comigo.

Sholmes foi procurar o Sr. d'Imblevalle e interrogou-o explicitamente sobre a senhorita.

O barão teve um choque.

— Alice Demun! Por acaso está pensando...? Isso é impossível.

— Há quanto tempo ela está a seu serviço?

— Um ano somente, porém não conheço ninguém mais calada e em quem eu deposite mais confiança.

— Como é possível que eu ainda não a tenha visto?

— Ela se ausentou por dois dias.

— E agora?

— Assim que voltou, tomou a iniciativa de instalar-se à cabeceira do seu amigo. Ela possui todas as qualidades de uma enfermeira... doce... atenciosa... O Sr. Wilson parece encantado com ela.

— Ah! — reagiu Sholmes, que se esquecera completamente de obter notícias do velho camarada.

Refletindo, perguntou:

— E no domingo de manhã, ela saiu?

— No dia seguinte ao roubo?

— Sim.

O barão chamou sua mulher e lhe fez a pergunta. Ela respondeu:

— A senhorita, como sempre, saiu para ir à missa das onze com as crianças.

— Mas e antes? Pergunou o barão.

— Antes? Não... ou melhor... Eu estava tão transtornada com esse roubo! Entretanto, lembro que na véspera ela tinha me pedido autorização para sair no domingo de manhã... ia encontrar uma prima de passagem por Paris, acho. Mas suponho que não suspeite dela...

— Claro que não... Mas gostaria de falar com ela.

Ele subiu até o quarto de Wilson. Uma mulher, vestindo, como as enfermeiras, um longo vestido de algodão cinzento, estava curvada sobre o doente e lhe dava de beber. Quando ela se voltou, Sholmes reconheceu a jovem que o abordara em frente à Gare du Nord.

Não houve entre eles nenhuma explicação. Alice Demun sorriu docemente, com seus olhos sedutores e graves, sem nenhum constrangimento. O inglês quis falar, esboçou algumas sílabas e se calou. Então ela voltou aos seus afazeres, andando pelo quarto tranquilamente, sob o olhar perplexo de Sholmes. Mexeu em alguns frascos, desenrolou e enrolou faixas de gaze, e de novo lhe dirigiu um sorriso audacioso.

Ele desceu, viu no pátio o automóvel do senhor d'Imblevalle, instalou-se nele e pediu para ser levado a Levallois, a garagem dos táxis, cujo endereço estava marcado no recibo do carro fornecido pela criança. Duprêt, que conduzia o 8279 na manhã de domingo, não estava lá. Sholmes o esperou até a hora da troca de turno.

O motorista Duprêt disse que realmente levara uma mulher até as cercanias do parque Monceau. Uma jovem de vestido preto, com um buquê de violetas e que parecia muito agitada.

— Ela carregava um embrulho?

— Sim, um embrulho bastante comprido.

— E para onde o senhor a levou...?

— Até a avenida des Ternes, na esquina da praça Saint-Ferdinand. Ela ficou ali uns dez minutos e depois retornamos ao parque Monceau.

— O senhor reconheceria a casa da avenida des Ternes?

— Claro que sim! Quer que o leve até lá?

— Agora mesmo. Mas primeiro vamos passar no Quai des Orfèvres, 36.

Na delegacia de polícia, ele teve a sorte de encontrar imediatamente o inspetor-chefe Ganimard.

— Sr. Ganimard, está livre?
— Se se tratar de Lupin, não.
— Trata-se de Lupin.
— Então não me mexo.
— Como assim! Então está desistindo...
— Renuncio ao impossível! Cansei de uma luta desigual, em que temos certeza de ficar por baixo. É covarde, é absurdo, tudo que quiser... pouco me importa! Lupin é mais forte do que nós. Diante disso, só nos resta reverenciar.
— Eu não me curvo.
— Ele o curvará, ao senhor como aos outros.
— Pois pense bem, assistir a tal espetáculo não lhe daria um imenso prazer?
— Ah, isso é verdade — reconsiderou Ganimard, com ingênua sinceridade. E, uma vez que ainda não apanhou o suficiente, vamos ver.

Os dois entraram no táxi. A uma ordem, o condutor largou-os um pouco antes da casa, na avenida des Ternes, do outro lado da rua, num pequeno café em cuja varanda sentaram. O dia começava a morrer.

— Garçom — chamou Sholmes —, traga-me alguma coisa para escrever.

Após escrever, chamou o garçom de novo:

— Leve esta carta ao porteiro dessa casa aí em frente. É evidentemente o homem de boné que está fumando em frente à garagem.

O porteiro veio até eles, e, tendo Ganimard anunciado seu título de inspetor-chefe, Sholmes perguntou se, na manhã de domingo, estivera ali uma jovem dama vestida de preto.

— De preto? Sim, por volta das nove horas... a moça que vai ao segundo andar.
— O senhor a vê com frequência?
— De uns tempos pra cá tenho visto mais... na última quinzena, quase diariamente.
— E desde domingo?
— Só uma vez... sem contar hoje.
— Como? Ela veio hoje?
— Ela está aqui.
— Ela está aqui?
— Chegou há uns dez minutos. O táxi a espera na praça Saint-Ferdinand, como de hábito. Cruzei com ela na porta.
— E quem aluga o segundo andar?
— São dois inquilinos, uma modista, a senhorita Langeais, e certo senhor, que há um mês alugou dois quartos mobiliados, sob o nome de Bresson.
— Por que diz "sob o nome"?
— Por pura cisma, acho que é um nome falso. Minha mulher faz a faxina na casa dele: pois bem, não há duas camisas em que os monogramas bordados sejam os mesmos.
— Como ele vive?

— Oh! Praticamente na rua. Há três dias não pisa em casa.

— Ele voltou na noite de sábado para domingo?

— Na noite de sábado para domingo? Espere, deixe-me pensar... Sim, no sábado à noite ele voltou e não saiu mais.

— E como ele é fisicamente?

— Juro que não saberia dizer. Ele muda tanto! É alto, baixo, gordo, magro... moreno e loiro. Nem sempre o reconheço.

Ganimard e Sholmes entreolharam-se.

— É ele — murmurou o inspetor-chefe. — Sem tirar nem pôr.

O velho policial viveu realmente um momento de perturbação, traduzido por um bocejo e um aperto dos dois punhos.

Sholmes, embora mais senhor de si, também sentiu um aperto no coração.

— Vejam — disse o porteiro —, eis a moça.

A senhorita aparecia na soleira da porta e atravessava a praça.

— E eis o Sr. Bresson.

— O Sr. Bresson? Qual?

— O que carrega um embrulho embaixo do braço.

— Mas ele não parece acompanhá-la. Ela está voltando sozinha para o seu táxi. Ah, tem isso, eu nunca os vi juntos.

Os dois policiais se levantaram rapidamente. À luz dos postes, haviam reconhecido o vulto de Lupin, que se afastava na direção oposta à praça.

— Quem o senhor prefere seguir? — perguntou Ganimard.

— Ele, claro!

— Então vou atrás da senhorita — propôs Ganimard.

— Não, não — disse apressadamente o inglês, que não queria revelar nada do caso a Ganimard. — A senhorita, eu sei onde encontrar... Não saia de perto de mim.

À distância, momentaneamente misturando-se ao fluxo dos pedestres e quiosques, os dois puseram-se na perseguição de Lupin. Perseguição fácil, aliás, pois ele não olhava para trás e caminhava a passos rápidos, mancando ligeiramente da perna direita, tão ligeiramente que era preciso o olho calejado de um observador para perceber o fato. Ganimard disse:

— Ele está fingindo que manca.

E continuou:

— Ah, se pudéssemos juntar dois ou três agentes e capturar Lupin agora! Corremos o risco de perdê-lo.

Mas nenhum guarda apareceu antes de passarem pela Porta des Ternes, e, já do outro lado, desistiram de contar com algum auxílio.

— Vamos nos separar — decidiu Sholmes —, o lugar está deserto.

Era o bulevar Victor Hugo. Cada qual ficou com uma calçada e avançou, acompanhando as árvores.

Eles continuaram assim por vinte minutos, até o momento em que Lupin dobrou à esquerda e margeou o Sena. Lá, ele desceu até a beira do rio. Ficou ali alguns segundos sem que lhes fosse possível distinguir o que fazia. Em seguida, subiu o barranco e voltou por onde viera. Os detetives se esconderam entre os pilares de um portão. Lupin passou por eles. Não carregava mais nenhum embrulho.

Enquanto se afastava, outro indivíduo surgiu de uma reentrância da casa e se escondeu entre as árvores.

Sholmes disse baixinho:

— Sim, e parece que já o vi antes.

A caçada recomeçou, embora complicada pela presença do indivíduo. Seguindo pelo mesmo caminho, Lupin atravessou novamente a Porta des Ternes e retornou ao prédio da praça Saint-Ferdinand.

O porteiro estava em seu posto quando Ganimard se apresentou.

— O senhor o viu, não foi?

— Sim, eu estava apagando o gás da escada, ele empurrou o trinco de sua porta.

— Há alguém com ele?

— Ninguém, nenhum criado... ele nunca faz as refeições aqui.

— Não existe uma escada de serviço?

— Não.

Ganimard disse a Sholmes:

— O mais simples é eu me instalar na própria porta de Lupin, enquanto o senhor vai chamar o delegado de polícia da rua Demours. Escreverei um bilhete para ele.

Sholmes objetou:

— E se ele escapar nesse intervalo?

— Eu vou ficar...?

— Um contra um, a luta é desigual com ele.

— Em todo caso, não posso arrombar seu domicílio, não tenho esse direito, principalmente à noite.

Sholmes deu de ombros.

— Quando o senhor tiver detido Lupin, não irão questioná-lo sobre as circunstâncias da prisão. Aliás, pense bem! Basta tocar a campainha.

Veremos então o que vai acontecer.

Nenhum barulho. Tocou novamente. Ninguém.

— Entremos — murmurou Sholmes.

— Sim, vamos.

Ainda assim, eles permaneceram imóveis, vacilantes. Como pessoas que hesitam no momento de realizar um ato decisivo, temiam agir e pareceu-lhes subitamente impossível que Arsène Lupin estivesse ali, tão perto, atrás daquela frágil divisória que um soco podia derrubar. Ambos conheciam bem demais o personagem para admitir que ele se deixasse agarrar de modo tão absurdo. Não, não, mil vezes não, Lupin não estava mais ali. Pelas casas contíguas, pelos telhados, por uma determinada saída apropriadamente preparada, devia ter fugido, e, mais uma vez, era a sombra de Lupin que eles iriam encontrar.

Um ruído imperceptível, do outro lado da porta, pareceu quebrar o silêncio. Tiveram a impressão, de que ele estava ali, separado pela tênue divisória de madeira, e que os ouvia.

O que fazer? A situação era trágica. A despeito do sangue-frio de policiais veteranos, os dois viviam uma emoção tão grande que imaginavam sentir seus corações batendo.

Com o rabo do olho, Ganimard consultou Sholmes. Então, violentamente, com um soco, fez estremecer o batente da porta.

Novo ruído de passos, que agora não procurava mais se dissimular...

Ganimard sacudiu a porta. Sholmes, avançou num impulso forte com o ombro e a derrubou de uma vez... Em seguida, os dois correram para o ataque.

Estacaram. Um tiro soou no cômodo ao lado. Mais um, e o barulho de um corpo caindo...

Quando entraram, viram o homem estendido, a face colada no mármore da lareira. Teve uma convulsão. O revólver caiu de sua mão.

Ganimard se debruçou e virou a cabeça do defunto. Estava coberta de sangue, que escorria de dois grandes ferimentos, um na face, outro na têmpora.

— Está irreconhecível — murmurou.

— Claro! — reagiu Sholmes. — Não é ele.

— Como sabe? Nem sequer o examinou.

O inglês riu:

— Acha que Arsène Lupin seria capaz de se matar? No entanto, pensamos tê-lo reconhecido lá fora.

— Esse homem nos deixa atordoados.

— Então é um de seus cúmplices.

— Os cúmplices de Arsène Lupin não se matam.

— Então quem é?

Revistaram o cadáver. Num dos bolsos, Herlock Sholmes encontrou uma carteira vazia, em outro Ganimard encontrou alguns luíses. Nenhuma etiqueta nas roupas.

Nos baús, nada senão pertences pessoais. Sobre a lareira, um maço de jornais. Ganimard abriu-os. Todos falavam do roubo da lâmpada judaica.

Uma hora depois, ao deixarem o local, Ganimard e Sholmes continuavam sem saber muita coisa sobre o singular personagem que se suicidara.

Quem era? Por que se matara? Que elo o associava ao caso da lâmpada judaica? Quem o seguira durante seu passeio? Quantas perguntas, uma mais complexa que a outra... Quantos mistérios...

Herlock Sholmes foi se deitar de péssimo humor. Ao acordar, recebeu um telegrama:

"Arsène Lupin tem a honra de lhes participar sua trágica morte na pessoa do Sr. Bresson e convidá-los para assistir ao seu funeral a ser realizado por conta do estado, na quinta-feira, 25 de junho."

Capítulo 2

— Veja, meu velho camarada — disse Sholmes a Wilson, agitando o telegrama de Arsène Lupin —, o que me enfurece nesta aventura é sentir continuamente o olho desse maldito cavalheiro em cima de mim. Nenhum dos meus pensamentos mais secretos lhe escapa. Sou como um ator cujos passos são regulados por um diretor, diz certa frase porque assim quer uma vontade superior.

Você me entende, Wilson?

Wilson teria entendido se não estivesse dormindo o sono profundo de um homem cuja temperatura oscila entre quarenta e quarenta e um graus. Mas se ele ouviu ou não, isso não importava para Sholmes, que continuou:

— Tenho que usar toda a minha energia e pôr em prática todos os meus recursos para não desistir. Por sorte, no meu caso, essas pequenas zombarias me estimulam. Quando cicatrizada a ferida no amor próprio, sempre consigo dizer: "Divirta-se enquanto pode. Mais cedo ou mais tarde, você mesmo se trairá." Pois, afinal, Wilson, não foi Lupin, que me entregou o segredo de sua correspondência com Alice Demun?

Está se esquecendo desse detalhe, velho camarada.

Ele circulava pelo quarto, com passadas ruidosas, ameaçando acordar o velho camarada.

— Finalmente! As coisas não vão tão mal e, se os caminhos que sigo são um pouco confusos, começo a me encontrar neles. Em primeiro lugar, vou me concentrar no Sr. Bresson. Ganimard e eu logo iremos à beira do Sena, ao lugar onde Bresson jogou fora seu embrulho, e o papel dele nos será revelado. De resto, é um jogo entre Alice Demun e mim. É um adversário de pequena envergadura, hein, Wilson? E não acha que daqui a pouco desvendarei a frase do álbum e o significado das duas letras isoladas, o C e o H? Pois tudo reside aí, Wilson.

A senhorita entrou no mesmo instante e, percebendo Sholmes, que gesticulava, advertiu-o gentilmente:

— Sr. Sholmes, terei de repreendê-lo se acordar meu doente. Ele não deve ser perturbado. O médico recomendou repouso absoluto.

Ele a contemplava sem uma palavra, espantado, como no primeiro dia, com sua calma inabalável.

— Por que está me olhando assim, Sr. Sholmes? Nada? Claro que há... o senhor parece estar sempre desconfiando de alguma coisa...

Ela o questionava com sua fisionomia confiável, seus olhos ingênuos, sua boca auspiciosa, e com todos os seus movimentos também, pois juntara as mãos e projetara o peito ligeiramente. Havia nela tanta doçura que o inglês sentiu raiva.

Aproximou-se e lhe disse baixinho:

— Bresson se matou ontem.

Ela repetiu, sem parecer compreender:

— Bresson se matou ontem...

De fato, nada alterou seu rosto, nada que revelasse o esforço da dissimulação.

— A senhorita já sabia — ele atalhou, com irritação. — Caso contrário, teria ao menos estremecido... Ah, a senhorita é mais forte do que eu julgava... Mas por que dissimular?

Ele pegou o álbum de imagens que acabava de colocar numa mesa próxima e, abrindo na página recortada:

— Você poderia me dizer em que ordem devemos organizar as cartas que faltam aqui, para saber o conteúdo exato da nota que você enviou a Bresson quatro dias antes do roubo da lâmpada judaica?

— Em que ordem...? Bresson...? O roubo da lâmpada judaica...?

Ela repetia as palavras, como se procurando-lhes o sentido.

Ele insistiu.

— Sim. Eis as letras utilizadas... nesse pedaço de papel. O que dizia a Bresson? As letras utilizadas... o que eu dizia...

Subitamente, ela caiu na risada:

— É isso! Compreendo! Sou a cúmplice do roubo! Há um Sr. Bresson que roubou a lâmpada judaica e se matou. E eu sou a amiga desse senhor. Oh, como é divertido!

— Quem então a senhora foi encontrar ontem à noite, no segundo andar do prédio da avenida des Ternes?

— Minha modista, a senhorita Langeais. Será que minha modista e o meu amigo Sr. Bresson não seriam a mesma pessoa?

Apesar de tudo, Sholmes duvidou. Podemos fingir, com o intuito de enganar, simulando terror, felicidade, inquietude, mas não indiferença, não um riso feliz e despreocupado.

Mesmo assim, ainda lhe disse:

— Por que na outra noite, na Gare du Nord, a senhorita me abordou? E por que me suplicou que regressasse imediatamente, sem resolver esse caso?

— Ah, o senhor é curioso demais, Sr. Sholmes — respondeu ela, rindo sempre da maneira mais natural. — Como castigo, não saberá nada, e além disso cuidará do doente enquanto vou na farmácia. Preciso comprar um medicamento urgente.

Saiu.

— Fui enrolado — disse Sholmes. — Não só não arranquei nada dela, como ainda me revelei.

E lembrou-se do caso do diamante azul e do interrogatório a que sujeitara Clotilde Destange. Não havia acabado de ver a mesma serenidade que a mulher loira lhe refutara, não estava novamente diante de uma dessas pessoas que, protegidas por Arsène Lupin, sob a ação de sua influência, conservam na própria angústia do perigo a calma mais espantosa?

Ele foi até Wilson, que o chamava, e se inclinou sobre o amigo.

— O que há, velho camarada?

Wilson remexeu os lábios sem conseguir falar. Afinal, após esforços, gaguejou:

— Não... Sholmes... não é ela... é impossível que seja ela...

— O que está tentando falar? Estou dizendo que é ela! Só perante uma criatura de Lupin, elaborada e montada por ele, é que perco a cabeça e me comporto tão estupidamente... Ela conhece toda a história do álbum... aposto que antes de uma hora Lupin será avisado. Antes de uma hora? O que digo! Imediatamente! A farmácia, o medicamento urgente...

Rapidamente ele se afastou, desceu a avenida de Messine e avistou a senhorita, que entrava em uma farmácia. Ela saiu dez minutos mais tarde, com frascos e uma garrafa embrulhados em papel branco. Contudo, enquanto subia a avenida, foi abordada por um homem que a perseguiu, de boné na mão e ar afável, como se pedisse uma ajuda.

Ela parou e deu-lhe uma esmola, depois seguiu adiante.

— Ela falou com ele, resmungou o inglês consigo mesmo.

Mais que uma certeza, foi uma intuição, suficientemente forte, para que mudasse de tática. Abandonando a jovem, perseguiu o falso mendigo.

Chegaram assim, à praça Saint-Ferdinand, onde o homem vagou um bom tempo em torno do prédio de Bresson, às vezes olhando para as janelas do segundo andar e vigiando as pessoas que entravam no prédio.

Depois de uma hora, subiu na plataforma superior de um bonde em direção a Neuilly. Sholmes também subiu e sentou atrás do indivíduo, um pouco mais longe, e ao lado de um senhor encoberto pelas folhas de um jornal aberto. Nas fortificações, o homem abaixou o jornal, Sholmes reconheceu Ganimard, e Ganimard lhe disse ao ouvido, referindo-se ao indivíduo:

— É o nosso homem de ontem à noite, aquele que seguia Bresson. Faz uma hora que dá voltas na praça.

— Nada de novo no que se refere a Bresson? — perguntou Sholmes.

— Sim, uma carta endereçada a ele chegou esta manhã.

— Esta manhã? Então foi postada ontem, antes que o remetente soubesse da morte de Bresson.

— A carta está nas mãos do juiz de instrução. Mas decorei o teor: "Ele não aceita nenhuma negociação. Quer tudo, tanto a primeira coisa quanto as do segundo caso. Senão, vai agir."

— Não estava assinada — acrescentou Ganimard. Como vê, essas linhas não nos dizem muita coisa.

— Não sou da mesma opinião, Sr. Ganimard. Ao contrário, essas linhas me parecem muito interessantes.

— E por quê?

— Por razões muito pessoais — respondeu Sholmes, sem nenhum constrangimento com o colega.

O bonde parou na rua du Château, no ponto final. O indivíduo desceu e se foi, tranquilamente.

Sholmes o seguia de tão perto que Ganimard teve receio:

— Se ele olhar para trás, seremos descobertos.

— Ele não se voltará agora.

— Como sabe disso?

— É cúmplice de Arsène Lupin, e o fato de um cúmplice de Lupin caminhar assim, com as mãos nos bolsos, prova em primeiro lugar que ele sabe estar sendo seguido e, em segundo lugar, que não teme nada.

— Mas estamos muito próximo dele!

— Não o suficiente para evitar que ele escape em poucos segundos. Está muito seguro de si.

— Vamos ver! Deve estar de brincadeira... Logo ali, na porta daquele café, há dois policiais de bicicleta. Se eu os requisitar e abordar o personagem, pergunto-me como ele escapará.

— O indivíduo não parece se incomodar com essa eventualidade. É ele mesmo que os requisita!

— Miserável — praguejou Ganimard. — Que audácia!

De fato, o indivíduo avançou na direção dos policiais no momento em que estes se preparavam para montar em suas bicicletas. Disse algumas palavras, depois, subitamente, saltou sobre uma terceira bicicleta, que estava recostada na fachada do café, e se afastou rapidamente com os dois guardas.

O inglês caiu na gargalhada.

— Que tal? Eu não tinha previsto isso? Um, dois, três, raptado! Por quem? Por dois colegas seus, Sr. Ganimard. Ah, que ardiloso esse Arsène Lupin! Policiais de bicicleta contratados! Quando eu lhe dizia que nosso personagem estava calmo demais!

— E daí? — indagou Ganimard, confuso. O que fazemos agora? É muito cômodo rir!

— Vamos, vamos, não se zangue. Nos vingaremos. No momento, precisamos de reforços.

— Folenfant me espera no fim da avenida de Neuilly.

— Muito bem, encontre-o na passagem e venha se juntar a mim.

Ganimard se afastou, enquanto Sholmes seguia os rastros das bicicletas, ainda mais visíveis na rua poeirenta, uma vez que duas delas estavam equipadas com pneus estriados. Ele não demorou a perceber que os rastros o conduziam à beira do rio, e que os três homens haviam desviado para o mesmo lado que Bresson na noite da véspera. Logo alcançou o portão junto ao qual ele mesmo se escondera com Ganimard e, um pouco adiante, percebeu que as linhas estriadas se emaranhavam, provando que haviam parado naquele local. Bem em frente havia um pequeno pedaço de terreno que entrava no Sena e em cuja ponta estava atracado um velho barco.

Era ali que Bresson devia ter deixado cair seu embrulho. Sholmes desceu o barranco e constatou que, como o barranco descia num declive bem suave e a água do rio estava baixa, seria fácil encontrar o embrulho... a menos que os três homens houvessem tomado a dianteira.

— Não, não, pensou, não tiveram tempo para isso... quinze minutos no máximo... e, no entanto, por que passaram por aqui?

Um pescador estava sentado no barco. Sholmes perguntou:

— Viu três homens de bicicleta?

O pescador fez sinal que não.

O inglês insistiu:

— Viu sim... Três homens... Acabam de parar a dois passos do senhor...

O pescador colocou sua linha embaixo do braço, pegou um bloquinho no bolso, escreveu numa das páginas, arrancou-a e estendeu-a a Sholmes.

Um calafrio sacudiu o inglês. Num relance vira, na página que segurava, a série das letras arrancadas do álbum.

CDEHNOPRSEO-237

O homem voltara aos seus afazeres, abrigado sob as amplas abas de seu chapéu de palha, com seu paletó e o colete dobrados juntos de si. Pescava concentradamente, enquanto a linha boiava na superfície.

Um minuto passou, um minuto de silêncio terrível.

"Será ele?" Pensava Sholmes com ansiedade.

E num lampejo:

— É ele! É ele! Só ele é capaz de permanecer assim, sem temer nada do que vai acontecer... E quem mais saberia da história do álbum? Alice o avisou por meio de seu mensageiro.

De repente, o inglês percebeu que sua mão, agarrara a coronha do revólver e que seus olhos miravam as costas do indivíduo. Um gesto, e todo o drama se concluiria, a vida do pescador terminaria miseravelmente.

O pescador não se mexeu.

Sholmes apertou nervosamente a arma com uma vontade de atirar e acabar com aquilo, e ao mesmo tempo horrorizado diante de um ato que contrariava sua natureza.

"Ah, pensou, que ele se levante, que se defenda... senão pior para ele... Mais um segundo... e eu atiro..."

Contudo, o ruído de passos fez com que virasse a cabeça, e ele avistou Ganimard, chegando na companhia dos inspetores.

Então, mudando de ideia, tomou impulso e, com um salto, pulou para o barco, cujas amarras arrebentaram com o tranco, caiu sobre o homem e deu-lhe uma gravata. Os dois rolaram no fundo da embarcação.

— E depois? — exclamou Lupin, enquanto se debatia. — O que isso prova? Quando um de nós imobilizar o outro, estaremos bem avançados! O senhor não saberá o que fazer de mim, nem eu do senhor. Ficaremos aqui como dois idiotas...

Os dois remos escorregaram para a água. O barco ficou à deriva. Exclamações se entrecruzavam ao longo da margem, enquanto Lupin continuou:

— Que ideia, senhor! Então perdeu a noção das coisas! Uma tolice dessas na sua idade! Que coisa mais feia...!

Ele conseguiu se soltar.

Desesperado, decidido a tudo, Herlock Sholmes pôs a mão no bolso. Soltou um palavrão. Lupin pegara seu revólver.

Então ele se pôs de joelhos e tentou alcançar um dos remos a fim de chegar à margem, ao passo que Lupin tentava alcançar o outro, a fim de seguir para o mar.

— Vai alcançar... não vai alcançar — dizia Lupin. — Aliás, isso não tem a mínima importância... Se alcançar o seu remo, impeço-o de usá-lo... e o senhor, idem. Mas veja bem, na vida nos esforçamos para agir... sem a menor razão, uma vez que é sempre a sorte que decide... Aí é que está, entendeu, a sorte... Pois bem, ela pende para o seu velho Lupin... Vitória! A correnteza me favorece!

De fato, o barco tendia a se afastar.

— Cuidado — gritou Lupin.

Alguém, na margem, apontava um revólver. Ele abaixou a cabeça, uma detonação ressoou, um pouco d'água espirrou perto deles. Lupin desatou a rir.

— Deus me perdoe, é nosso amigo Ganimard! Mas é muito feio o que está fazendo, Ganimard. Você só tem o direito de atirar em caso de legítima defesa... Esse pobre Arsène o deixa feroz a ponto de esquecer todos os seus deveres? Que coisa, meu Deus, lá vai ele de novo! Ora, infeliz, é no meu caro mestre que você vai acertar.

Ele protegeu Sholmes com seu corpo e, de pé na balsa, postou-se de frente para Ganimard:

— Ótimo! Agora estou tranquilo... Mire aqui, Ganimard, bem no coração... mais alto... à esquerda... Errou. Que desastrado. Mais um tiro! Mas está tremendo, Ganimard... É você que está no comando, não é? Sangue-frio! Um, dois, três, fogo...! Errou!

Ele sacou então uma arma comprida e lisa. Sem mirar, atirou.

O inspetor levou a mão ao chapéu: uma bala o perfurou.

— O que me diz, Ganimard? Respeito, senhores, é a arma do meu nobre amigo, mestre Herlock Sholmes!

E, com um arremesso, lançou a arma exatamente nos pés de Ganimard.

Sholmes não deixou de admirar. Que vida fervilhante! Que alegria jovem e espontânea! E como ele parecia se divertir. Parecia que a sensação do perigo lhe trazia uma euforia física e que para esse homem incrível a existência não tinha outro objetivo senão a busca de perigos que em seguida ele se divertia em evitar.

Em ambos os lados do rio, contudo, pessoas se espremiam, e Ganimard e seus homens seguiam o barco varrido pela corrente. Era a captura era inevitável.

— Admita, mestre — exclamou Lupin, voltando-se para o inglês —, que não trocaria o seu lugar nem por todo o ouro do Transvaal! É que o senhor está na primeira fila! Mas, em primeiro lugar e acima de tudo, o prólogo... depois do que pularemos

direto para o quinto ato, a captura ou a evasão de Arsène Lupin. Portanto, caro mestre, tenho uma pergunta a lhe fazer e suplico, que responda com um sim ou um não. Desista de cuidar desse caso. Ainda é tempo para isso e posso reparar o mal que lhe causei. Mais tarde, não poderei mais. Está combinado?
— Não.
O rosto de Lupin se contraiu. Obviamente, aquela obstinação o irritava. Continuou:
— Eu insisto. Mais pelo senhor do que por mim, repito, pois estou certo de que será o primeiro a lamentar sua intervenção. Pela última vez, sim ou não?
— Não.
Lupin pôs-se de cócoras, deslocou uma das tábuas do fundo e, durante alguns minutos, executou um trabalho cujo propósito Sholmes não conseguiu discernir. Em seguida, levantou-se, sentou ao lado do inglês e lhe falou:
— Creio, mestre, que viemos até a beira deste rio por razões idênticas: pescar o objeto de que Bresson se livrou, não foi? De minha parte, eu tinha marcado com alguns camaradas e estava prestes, e meus trajes sumários indicam isso, a efetuar uma pequena exploração nas profundezas do Sena, quando fui alertado de sua chegada. Na verdade, aliás, não fiquei surpreso com isso, estando informado hora a hora, dos progressos de sua investigação. Assim que acontece algum evento suscetível de me interessar na rua Murillo, basta um telefonema e sou avisado! Compreenda que, nestas condições...
Ele se deteve. A tábua que ele afastara soerguia-se agora e, em volta dela, a água esguichava em pequenos jatos.
— Não sei o que fiz, mas tenho todos os motivos para pensar que há um vazamento no fundo deste barco. Não está com medo, mestre?
Sholmes deu de ombros. Lupin continuou:
— Compreenda então que, nestas circunstâncias, sabendo de antemão que o senhor procuraria a luta com a mesma obsessão com que eu me esforçava para evitá-la, seria mais prazeroso para mim disputar com o senhor um jogo cujo desfecho era certo, uma vez que tenho todos os trunfos na mão. E quis dar ao nosso encontro a maior visibilidade possível, a fim de que sua derrota fosse plenamente conhecida e que outra condessa De Crozon ou outro barão d'Imblevalle não ficassem tentados a solicitar sua ajuda contra mim. Não veja nisso, caro mestre...
Ele calou-se e, fazendo uma luneta com as mãos, observou as margens.
— Eles fretaram uma canoa potente, um verdadeiro navio de guerra, e estão remando feito loucos. Antes de cinco minutos, nos abordarão e estarei perdido. Sr. Sholmes, um conselho: o senhor se joga sobre mim, me amarra e me entrega à justiça do meu país... Tal plano lhe agrada? A menos que, daqui até lá, tenhamos naufragado. Nesse caso só nos resta preparar nosso testamento. O que acha?
Seus olhares se cruzaram. Dessa vez Sholmes entendeu a manobra de Lupin: ele furara o fundo do barco. E a água subia.
Ela alcançou as solas de suas botinas. Cobriu seus pés: eles não esboçaram qualquer movimento.

A água subiu até os seus tornozelos: o inglês pegou sua bolsa de fumo, enrolou um cigarro e o acendeu.

Lupin prosseguiu:

— E não veja nisso, caro mestre, senão a humilde confissão de minha impotência a seu respeito. É em respeito ao senhor que aceito apenas as batalhas em que a vitória me esteja reservada, a fim de evitar aquelas cujo terreno não escolhi. É por reconhecer em Sholmes o único inimigo que temo e proclamar minha inquietude enquanto Sholmes não for retirado do meu caminho. Caro mestre, o que eu fazia questão de lhe dizer, uma vez que o destino me concede a honra de uma conversa com o senhor. Apenas me entristece, é que essa conversa se dê enquanto lavamos nossos pés...! Situação que carece de dignidade. O que digo! Escalda-pés...! Banho de assento, isso sim!

O barco afundava cada vez mais.

Sholmes, mantinha o cigarro nos lábios, parecia fascinado na contemplação do céu. Por nada no mundo, diante daquele homem envolto em perigos, acuado pela matilha de agentes, e que, no entanto, conservava seu bom humor, por nada no mundo teria consentido em demonstrar qualquer perturbação.

Os dois não pareciam dizer: vou me preocupar com tais futilidades? Não acontece todo dia de nos afogarmos num rio? Será que tais fatos merecem nossa atenção? E um tagarelava e o outro devaneava, ambos escondendo sob a mesma máscara de tranquilidade o choque de seus dois orgulhos.

Mais um minuto e eles iriam afundar.

— O principal — formulou Lupin — é saber se iremos a pique antes ou depois da chegada dos paladinos da justiça. Tudo reside nisso. Pois o naufrágio é certo. Mestre, é a hora solene do testamento. Lego toda a minha fortuna a Herlock Sholmes, cidadão inglês, com a condição de... Mas, meu Deus, os paladinos da justiça avançam rápido! Ah, bons rapazes! Dão prazer de ver. Que precisão na remada! É o senhor, sargento Folenfant? Bravo! A ideia do navio de guerra é excelente. Vou recomendá-lo a seus superiores, sargento Folenfant... É a medalha que o senhor deseja? Entendido... considere feito. E seu camarada Dieuzy, onde está? Na margem esquerda, não é mesmo, acompanhado de uma centena de nativos? De maneira que, se eu escapar do naufrágio, sou recolhido à esquerda por Dieuzy e seus nativos, ou à direita por Ganimard e o povo de Neuilly. Dilema atroz...

Houve uma agitação. A embarcação virou e Sholmes teve que se agarrar aos remos.

— Mestre — disse Lupin —, suplico-lhe que tire o seu paletó. Ficará mais à vontade para nadar. Não? Recusa-se? Então vestirei novamente o meu.

Vestiu o paletó, abotoou-o como fizera Sholmes e suspirou:

— Como o senhor é durão! Pena haver teimado em se meter neste caso... no qual certamente mostra seus recursos, mas tão em vão! Sério, o senhor desperdiça sua genialidade...

— Sr. Lupin — pronunciou Sholmes, saindo finalmente do seu mutismo, o senhor fala demais e com frequência peca por excesso de confiança e leviandade.

— A crítica é severa.

— Pois assim, sem saber, o senhor me forneceu há um instante a informação que eu procurava.

— Como! O senhor procurava uma informação e não me dizia!

— Não preciso de ninguém. Daqui a três horas fornecerei a chave do enigma ao Sr. e Sra. d'Imblevalle. Eis a única resposta...

Ele não terminou sua frase. O barco revolvera de repente, arrastando a ambos. Emergiu logo depois, virado, com o casco para cima. Ouviram-se gritos nas duas margens, depois um silêncio ansioso e, subitamente, novas exclamações: um dos náufragos reaparecera.

Era Herlock Sholmes.

Excelente nadador, dirigiu-se com largas braçadas para o barco de Folenfant.

— Força, Sr. Sholmes — gritou o agente —, estamos aqui... Não desista... cuidaremos dele depois... Nós o pegamos, vamos... um pequeno esforço, Sr. Sholmes... segure a corda...

O inglês agarrou uma corda que lhe estendiam. Porém, enquanto se içava a bordo, uma voz, atrás dele, interpelou-o:

— A chave do enigma, caro mestre, claro, o senhor possuirá. Espanta-me ainda não ter feito isso... E depois? De que lhe servirá? Nesse momento, justamente, a batalha estará perdida para o senhor...

Sentado no casco onde acabara de subir enquanto falava, e agora confortavelmente instalado, Arsène Lupin prosseguia seu discurso com gestos solenes, como se esperasse convencer seu interlocutor.

— Compreenda, caro mestre, não há nada a fazer, absolutamente nada... O senhor está na situação deplorável de um cavalheiro...

Folenfant o enquadrou:

— Renda-se, Lupin.

— O senhor é indelicado, sargento Folenfant, me cortou no meio da frase. Eu dizia...

— Renda-se, Lupin.

— Sr. Folenfant, a gente só se rende quando está em perigo. Ora, o senhor não tem a pretensão de crer que corro qualquer perigo!

— Pela última vez, Lupin, intimo-o a se render.

— Sr. Folenfant, o senhor não tem a mínima intenção de me matar, no máximo me ferir, de tal forma tem medo que eu escape. E se por acaso o ferimento for mortal? Ora, pense na culpa que vai sentir.

O tiro foi disparado.

Lupin vacilou, agarrou-se por um instante no casco virado, depois se soltou e desapareceu.

Eram exatamente três horas quando esses acontecimentos ocorreram. Às seis em ponto, como prometera, Herlock Sholmes apareceu. Vestia uma calça curta demais e um paletó pequeno para seu tamanho que pegara emprestado de um hoteleiro de Neuilly, usava um boné e estava paramentado com uma camisola de flanela e uma faixa de seda amarrada na cintura. Assim, entrou no aposento da rua Murillo, após mandar avisar Sr. e Sra. d'Imblevalle que lhes solicitava uma entrevista.

Encontraram-no andando para cima e para baixo. E ele lhes pareceu tão cômico em sua roupa bizarra que tiveram de conter uma forte vontade de rir. Com o aspecto pensativo, as costas curvadas, andava feito um robô, da janela até a porta e da porta até a janela, em todas as vezes com o mesmo número de passos e girando todas as vezes no mesmo sentido.

Parou, pegou um bibelô, examinou-o mecanicamente, depois retomou a perambulação.

Por fim, perguntou:

— A senhorita está na casa?

— Sim, no jardim, com as crianças.

— Sr. barão, como a conversa que vamos ter é definitiva, eu gostaria que a senhorita Demun estivesse presente.

— Será, realmente...?

— Tenha um pouco de paciência, senhor. A verdade brotará claramente dos fatos que exporei diante dos senhores com a maior precisão possível.

— Está bem. Suzanne, você pode...?

A Sra. d'Imblevalle se levantou e voltou quase imediatamente, acompanhada de Alice Demun. A senhorita, mais pálida do que de costume, permaneceu de pé, recostada a uma mesa, e nem mesmo perguntou a razão de estar ali.

Sholmes pareceu não a ver e, voltando-se bruscamente para o Sr. d'Imblevalle, articulou num tom que não admitia réplica:

— Após muitos dias de investigação, senhor, e embora certos acontecimentos tenham modificado minha maneira de ver as coisas, repetirei aquilo que lhe disse desde o primeiro momento: a lâmpada judaica foi roubada por alguém que mora nesta casa.

— O nome do culpado?

— Eu o conheço.

— As evidências?

— As que tenho são suficientes para desmascará-lo.

— Não basta que ele seja desmascarado. Ele também terá de nos restituir...

— A lâmpada judaica? Eu a tenho em meu poder.

— O colar de opalas? A caixa de rapé?

— O colar de opalas, a caixa de rapé, em resumo, tudo que lhe foi roubado da segunda vez está em meu poder.

Sholmes apreciava esses efeitos dramáticos e essa maneira um pouco árida de anunciar suas vitórias.

De fato, o barão e sua mulher pareciam maravilhados e o olhavam com uma curiosidade silenciosa que era o melhor dos elogios.

Retomou detalhadamente o relato do que fizera durante os últimos três dias. Contou a descoberta do álbum, escreveu numa folha de papel a frase formada pelas letras recortadas, depois relatou a expedição de Bresson à beira do Sena e o suicídio do aventureiro, e finalmente a luta que ele, Sholmes, acabara de travar com Lupin, o naufrágio do barco e o desaparecimento de Lupin.

Quando terminou, o barão disse baixinho:

— Tudo que precisa fazer é agora revelar o nome do culpado. Quem então o senhor acusa?

— Acuso a pessoa que recortou as letras desse alfabeto e se comunicou por meio dessas letras com Arsène Lupin.

— Como sabe que o correspondente dessa pessoa é Arsène Lupin?

— Pelo próprio Lupin.

Estendeu um pedaço de papel molhado e amassado. Era a página que Lupin arrancara de sua caderneta, no barco, e no qual escrevera a frase codificada.

— Repare — observou Sholmes com satisfação — que nada o obrigava a me entregar essa folha e, por consequência, a se desmascarar. Simples imaturidade de sua parte e que me informou.

— Que o informou... — disse o barão. Entretanto, não vejo nada... Sholmes copiou com lápis as letras e os algarismos.

CDEHNOPRSEO-237

— E daí? — perguntou o Sr. d'Imblevalle. É o segredo que o senhor mesmo acaba de nos mostrar.

— Não, se o senhor tivesse virado e revirado esse segredo em todos os sentidos, teria visto prontamente, como eu vi, que ele não é semelhante a primeira.

— E em que então?

— Ela compreende duas letras a mais, um E e um O.

— Eu não tinha observado.

— Aproxime essas duas letras do C e do H que ficavam fora da palavra "responde" e constatará que a única palavra possível é ECHO.

— O que significa...?

— O que significa *Écho de France*, o jornal de Lupin, seu órgão oficial, ao qual ele reserva seus "comunicados". Responde a "*Écho de France*, seção de correspondência, número 237". Era essa a chave do enigma que eu tanto procurava e que Lupin me forneceu com tanta boa vontade. Estou chegando da redação do *Écho de France*.

— E o senhor descobriu...?

— Descobri toda a história detalhada das relações de Arsène Lupin com sua cúmplice.

E Sholmes espalhou sete jornais abertos na quarta página, dos quais destacou estas sete linhas:

1. ARS. LUP. Mulher impl. proteç. 540.
2. 540. Espera explicações. A.L.
3. A.L. Sob domin. inimiga. Perdida.
4. 540. Escreva endereço. Farei investigação.
5. A.L. Murillo.
6. 540. Parque três horas. Violetas.
7. 237. Entendido sáb. estarei dom. man. Parque.

— E chama isso de uma história detalhada! — exclamou o Sr. d'Imblevalle.

— Se prestar atenção o senhor concordará comigo. Em primeiro lugar, uma mulher que assina 540 implora a proteção de Lupin, ao que Lupin responde com um pedido de explicações. A mulher responde que está sob o domínio de um inimigo, de Bresson, sem dúvida alguma, e que está perdida se não vierem em seu socorro. Lupin, que suspeita, que não ousa ainda entrar em contato com essa estranha, exige o endereço e sugere uma investigação. A mulher ainda hesita por quatro dias — consultem as datas — e por fim, pressionada pelos acontecimentos, sufocada pelas ameaças de Bresson, fornece o nome da rua onde mora, Murillo. No dia seguinte, Arsène Lupin anuncia que estará no parque Monceau às três horas e pede a mulher que leve um buquê de violetas como sinal de identificação. Ocorre então uma interrupção de oito dias na correspondência. Arsène Lupin e a mulher não precisam se escrever por intermédio do jornal: encontram-se ou escrevem-se diretamente. O plano está elaborado para satisfazer as exigências de Bresson, a mulher roubará a lâmpada judaica. Resta marcar o dia. A mulher, que, por sensatez, se corresponde com a ajuda de palavras recortadas e coladas, decide pelo sábado e acrescenta: Responde Écho 237. Lupin lhe responde que está combinado e que, além disso, estará no parque no domingo de manhã. No domingo de manhã, o roubo é executado.

— Tudo se encadeia — aprovou o barão —, a história está completa.

Sholmes prosseguiu:

— Então o roubo é executado. A mulher sai domingo de manhã, presta contas a Lupin do que fez e leva a lâmpada judaica para Bresson. As coisas se passam então como Lupin previra. A justiça, iludida por uma janela aberta, quatro buracos na terra e dois arranhões numa sacada, admite a hipótese de roubo por arrombamento. A mulher está sossegada.

— Admito que essa explicação é bastante lógica. Mas e o segundo roubo...

— O segundo roubo foi provocado pelo primeiro. Como os jornais contaram como a lâmpada judaica desaparecera, alguém teve a ideia de reproduzir o assalto e se apoderar do que não havia sido levado. E dessa vez não foi um roubo simulado, mas um roubo real, com arrombamento de verdade, escalada etc.

— Lupin, evidentemente...

— Não, Lupin não age de forma tão estúpida. Lupin não atira nas pessoas por uma besteira qualquer.

— Então quem foi?

— Bresson, sem dúvida alguma, e à revelia da mulher que ele usurpara. Foi Bresson que entrou aqui, foi ele que persegui, foi ele que feriu meu pobre Wilson.

— Tem certeza disso?

— Absoluta. Um dos cúmplices de Bresson lhe escreveu ontem, antes do seu suicídio, uma carta que prova as negociações entre esse cúmplice e Lupin com vistas à restituição de todos os objetos roubados na sua casa. Lupin exigia tudo, "tanto a primeira coisa (isto é, a lâmpada judaica) quanto as do segundo caso". Além disso, vigiava Bresson. Quando este se dirigiu ontem à noite à beira do Sena, um dos companheiros de Lupin o seguia ao mesmo tempo que nós.

— O que Bresson ia fazer na beira do Sena?

— Informado dos progressos de minha investigação...

— Informado por quem?

— Pela mesma mulher, a qual temia pertinentemente que a descoberta da lâmpada judaica resultasse na descoberta de sua aventura... Alertado, Bresson reúne num único embrulho o que pode comprometê-lo e joga num lugar onde pode recuperá-lo quando o perigo passar. É na volta que, encurralado por Ganimard e por mim, tendo sem dúvida outros crimes na consciência, ele se desespera e se mata.

— Mas o que continha o embrulho?

— A lâmpada judaica e suas outras bugigangas.

— Então estão com o senhor?

— Logo após o desaparecimento de Lupin, aproveitei o banho que ele me obrigou a tomar para ser levado ao lugar escolhido por Bresson, onde encontrei, embrulhado em pano e lona encerada, o que lhe foi subtraído. Aqui está, sobre esta mesa.

Sem uma palavra, o barão cortou o barbante, rasgou com um golpe o pano molhado, retirou dali a lâmpada, girou um parafuso instalado sob o pé, fez força com as duas mãos sobre o recipiente, desatarraxou-o, abriu-o em duas partes iguais e descobriu a quimera de ouro, incrustada de rubis e diamantes.

Estava intacta.

Havia em toda a cena, aparentemente tão natural, simples exposição de fatos, alguma coisa que a tornava terrivelmente trágica: era a acusação formal, direta, irrefutável que, a cada palavra sua, Sholmes lançava à senhorita. E também o silêncio incrível de Alice Demun.

Durante essa longa e cruel amontoado de pequenas provas sobrepostas, nenhum músculo de seu rosto se mexera, nenhuma explosão de revolta ou temor perturbara a calmaria de seu límpido olhar. Em que ela pensava? E, sobretudo, o que iria dizer no minuto solene em que tivesse de responder, em que teria de se defender e romper o círculo de ferro no qual Herlock Sholmes a aprisionava tão habilmente?

Esse minuto havia chegado e a jovem manteve-se calada.

— Fale então! — exclamou o Sr. d'Imblevalle.

Ela não falou.

Ele insistiu:

— Uma palavra a desculparia... Uma palavra de revolta, e acreditarei na senhorita. Essa palavra, ela não falou.

O barão atravessou energicamente o recinto, voltou sobre seus passos, repetiu a operação e dirigiu-se a Sholmes:

— Eu digo que não posso admitir que seja verdade! Há crimes impossíveis! E este vai de encontro a tudo que sei, a tudo que vejo há um ano.

Ele pousou a mão no ombro do inglês.

— Mas o senhor mesmo, cavalheiro, tem certeza absoluta de não estar enganado?

Sholmes hesitou, como alguém atacado de surpresa. No entanto, sorriu e disse:

— Somente a pessoa a quem acuso podia saber, pela situação que ocupa em sua casa, que a lâmpada judaica continha essa magnífica joia.

— Recuso-me a acreditar — murmurou o barão.

— Pergunte-lhe.

Era, de fato, a única coisa que ele não teria tentado, na confiança cega que lhe inspirava a moça. Contudo, não podia mais se furtar às evidências.

Aproximou-se dela e, olhos nos olhos:

— Foi a senhorita que pegou a joia? Foi a senhorita que se correspondeu com Arsène Lupin e simulou o roubo?

Ela respondeu:

— Fui eu, senhor.

Ela não abaixou a cabeça. Sua fisionomia não exprimiu nem vergonha nem embaraço.

— Será possível! — murmurou o Sr. d'Imblevalle. — Eu jamais teria acreditado... A senhorita seria a última pessoa de quem eu suspeitaria... Como se deu o roubo?

Ela disse:

— Fiz como o Sr. Sholmes contou. Na noite de sábado para domingo, desci até este aposento, peguei a lâmpada e, de manhã, levei-a... para aquele homem.

— Não — objetou o barão —, o que a senhorita afirma é impossível.

— Impossível por quê?

— Porque de manhã encontrei a porta deste aposento fechada com tranca.

Ela ruborizou, ficou constrangida e olhou para Sholmes, como se lhe pedisse conselhos.

Mais do que pela objeção do barão, Sholmes pareceu atônito com o embaraço de Alice Demun. Ela então não tinha nada a responder? As confissões que consagravam a explicação que ele, Sholmes, fornecera sobre o roubo da lâmpada judaica porventura mascaravam uma mentira que a análise dos fatos destruía prontamente?

O barão continuou:

— Essa porta estava fechada. Afirmo que encontrei a tranca como o deixara na noite da véspera. Se a senhorita tivesse passado por essa porta, assim como afirma, teria sido necessário que alguém a recebesse do lado de dentro, isto é, do aposento ou de nosso quarto. Ora, não havia ninguém nesses dois cômodos... não havia ninguém a não ser minha mulher e eu.

Sholmes curvou-se na mesma hora e cobriu o rosto com as duas mãos a fim de disfarçar o rubor. Alguma coisa como uma luz forte demais o atingira e ele sentia-se ofuscado, incomodado. Tudo se desvendava para ele qual uma paisagem escura da qual a noite se afastasse de repente.

Alice Demun era inocente.

Alice Demun era inocente. Havia nisso uma verdade incontestável, cega, que ao mesmo tempo explicava a espécie de constrangimento que ele experimentava desde o primeiro dia em lançar a grave acusação contra a moça. Via claro agora. Sabia. Um gesto, e a prova irrefutável se ofereceria a ele prontamente.

Ergueu a cabeça e, após alguns segundos, tão naturalmente quanto pôde, voltou os olhos para a Sra. d'Imblevalle.

Estava pálida, dessa palidez incomum que nos invade nas horas implacáveis da vida. Suas mãos, que ela procurava esconder, tremiam.

— Mais um segundo, pensou Sholmes, e ela se trai.

Colocou-se entre ela e o marido, com o desejo de afastar o terrível perigo que, por culpa sua, ameaçava aquele homem e aquela mulher. Mas, ao ver o barão, estremeceu. A mesma revelação que o cegara com sua claridade iluminava agora o Sr. d'Imblevalle. O mesmo raciocínio se operava no cérebro do marido. Ele compreendia por sua vez! Ele via!

Desesperadamente, Alice Demun se ergueu contra a verdade implacável.

— Tem razão, senhor, eu me enganei... De fato, não entrei por aqui. Passei pelo vestíbulo e pelo jardim, e foi com a ajuda de uma escada...

Supremo esforço e dedicação... Mas esforço inútil! As palavras soavam falsas. A voz estava fraca e a doce criatura não tinha mais seus olhos cristalinos e seu ar de sinceridade. Vencida, ela abaixou a cabeça.

O silêncio foi atroz. A Sra. d'Imblevalle esperava, lívida, toda enrijecida pela angústia e o pavor. O barão parecia ainda se debater, como se não quisesse acreditar no colapso de sua felicidade.

Por fim, balbuciou:

— Explique-se...!

— Não tenho nada a lhe dizer, meu pobre querido — ela falou baixinho e com o rosto contorcido pela dor.

— Então... a senhorita...

— A senhorita me salvou... por devotamento... por afeição... e se incriminou...

— Salvou de quê? De quem?

— Daquele homem.

— Bresson?

— Sim, eu era o alvo de suas ameaças... Conheci-o na casa de uma amiga... e cometi a loucura de escutá-lo... Oh, nada que você não possa perdoar... no entanto, escrevi duas cartas... cartas que você verá... Eu as recuperei... Você sabe como. Oh! Tenha piedade de mim... chorei tanto!

— Você? Você? Suzanne!

Ele ergueu para a esposa os punhos cerrados, prestes a espancá-la, a matá-la.

Mas seus braços tornaram a cair e ele murmurou novamente:

— Você, Suzanne? Você...? Será possível?!

Com pequenas frases, ela contou a tormentosa aventura, seu despertar assustado diante da infâmia do personagem, seus remorsos, seu pânico, e referiu-se também ao comportamento incontestável de Alice, a moça que adivinhava o desespero da patroa, arrancando-lhe sua confissão, escrevendo a Lupin e planejando aquela história de roubo para salvá-la das garras de Bresson.

— Você, Suzanne, você... — repetia o Sr. d'Imblevalle, recurvado, aterrado. — Como pôde...?

Na noite desse mesmo dia, o vapor Ville-de-Londres, que fazia a linha entre Calais e Dover, deslizava calmamente sobre as águas paradas. A noite estava escura e calma. Nuvens tranquilas insinuavam-se acima do barco e, à sua volta, suaves véus de névoa separavam do espaço infinito, onde se espalhavam a claridade da lua e das estrelas.

A maioria dos passageiros havia se recolhido às cabines e salões. Alguns, no entanto, mais intrépidos, passeavam no convés ou ainda cochilavam no fundo de amplas cadeiras de balanço e sob cobertores. Aqui e ali viam-se brasas acesas de charutos e ouvia-se, misturado ao suave sopro da brisa, um murmúrio de vozes que não ousavam se levantar diante do grande silêncio.

Um dos passageiros, que vagava com passos regulares pelas amuradas, parou perto de uma pessoa, examinou-a e, como essa pessoa se mexia um pouco, disse-lhe:

— Achei que estava dormindo, senhorita Alice.

— Não, não, Sr. Sholmes, não estou com sono. Estou pensando.

— Em quê? É indiscreto de minha parte perguntar?

— Eu pensava na Sra. d'Imblevalle. Ela deve estar tão triste!

— Claro que não, claro que não — ele replicou prontamente. — Seu erro não é imperdoável. O Sr. d'Imblevalle esquecerá essa fraqueza. Quando partimos, ele já olhava para ela com menos severidade.

— Talvez... mas o esquecimento vai demorar... e ela está sofrendo.

— Gosta muito dela?

— Muito. Foi o que me deu força para sorrir, quando tremia de medo, ao encarar o senhor, querendo fugir dos seus olhos.

— Está triste por separar-se dela?

— Sim Não tenho parentes nem amigos... Eu só tinha ela.

— A senhorita terá amigos — disse o inglês, comovido por aquela aflição —, eu lhe prometo... Tenho relações... muita influência... Asseguro-lhe que não lamentará sua situação.

— Pode ser, mas a Sra. d'Imblevalle não estará mais comigo...

Não trocaram outras palavras. Herlock Sholmes deu ainda duas ou quatro voltas pelo convés, depois foi se instalar novamente junto à sua companheira de viagem.

A cortina de nevoeiro se dissipava e as nuvens pareciam se dividir no céu.

Estrelas cintilavam.

Sholmes puxou o cachimbo do fundo de sua capa, encheu-o e riscou sucessivamente quatro palitos de fósforo sem conseguir acendê-los. Como não tinha outros, levantou-se e perguntou a um cavalheiro que se encontrava sentado a alguns passos:

— Teria fogo, por favor?

O cavalheiro abriu uma caixa de fósforos grandes e riscou. Imediatamente uma chama irrompeu. Com a luz, Sholmes reconheceu Arsène Lupin.

Se o inglês não tivesse esboçado um pequeno gesto, um imperceptível recuo, Lupin poderia ter suposto que sua presença a bordo era conhecida de Sholmes, de tal forma este permaneceu senhor de si e tão natural foi a desenvoltura com que estendeu a mão a seu adversário.

— Sempre em forma, Sr. Lupin?

— Bravo! — exclamou Lupin, deixando escapar um grito de admiração.

— Bravo... E por quê?

— Como, por quê? O senhor me vê reaparecer à sua frente, como um fantasma, depois de ter testemunhado meu mergulho no Sena, e, por orgulho, por um milagre de orgulho que eu qualificaria de essencialmente britânico, não esboça um gesto de apatia, uma palavra de surpresa! Caramba, repito, bravo, é admirável!

— Isso não é admirável... Pela sua maneira de cair do barco, vi muito bem que caía voluntariamente e que não fora atingido pela bala do sargento.

— E partiu sem saber do meu destino?

— Seu destino? Eu sabia. Quinhentas pessoas circundavam as duas margens no espaço de um quilômetro. A partir do momento em que o senhor escapasse da morte, sua captura era certa.

— No entanto, aqui estou.

— Lupin, há dois homens no mundo de quem nada me surpreende: primeiro eu e o senhor em seguida.

A paz estava firmada.

Se Sholmes não triunfara em suas investidas contra Arsène Lupin, se Lupin permanecia o inimigo excepcional que era preciso desistir definitivamente de agarrar, se no correr dos embates ele estava sempre em vantagem, nem por isso o inglês, com sua obstinação formidável, deixara de recuperar a lâmpada judaica, assim como recuperara o diamante azul. Talvez dessa vez o resultado fosse menos brilhante, sobretudo do ponto de vista do público, uma vez que Sholmes era obrigado a resguardar as circunstâncias sob as quais a lâmpada judaica fora descoberta e declarar que ignorava o nome do culpado. Mas de homem para homem, de Lupin para Sholmes, de polícia para ladrão, não havia, com toda a justiça, nem vencedor nem vencido. Ambos podiam requerer triunfos idênticos.

Conversaram, então, como adversários amigáveis que depuseram suas armas e se admiram por seus respectivos méritos.

A pedido de Sholmes, Lupin explicou sua fuga.

— Se é — disse — que podemos chamar isso de fuga. Foi muito simples! Meus amigos aguardavam, uma vez que tínhamos um encontro marcado para recuperar a lâmpada judaica. Assim, após ter permanecido uma boa meia hora sob o casco virado do barco, aproveitei um instante em que Folenfant e seus homens procuravam meu corpo ao longo das margens e subi novamente no casco virado. Meus amigos só tiveram que me recolher e fugir sob os olhos pasmos dos quinhentos curiosos, de Ganimard e de Folenfant.

— Que beleza! — exclamou Sholmes. — Sucesso total! E agora tem negócios na Inglaterra?

— Sim, alguns acertos de contas... Mas eu ia esquecendo... E o Sr. d'Imblevalle?

— Ele sabe tudo.

— Ah, meu caro mestre, o que foi que eu disse? O mal agora é irreparável. Não teria sido melhor deixar eu agir do meu jeito? Mais um ou dois dias, e eu recuperava de Bresson a lâmpada judaica e os bibelôs, enviava-os aos d'Imblevalle, e essas duas pessoas teriam terminado de viver sossegadamente um do lado do outro. Em vez disso...

— Em vez disso — riu Sholmes —, semeei a discórdia no seio de uma família que o senhor protegia.

— Meu Deus, sim, que eu protegia! Será sempre indispensável roubar, enganar e fazer o mal?

— Então também faz o bem?

— Quando tenho tempo. E depois isso me diverte. Acho muito engraçado que, na aventura que nos ocupa, eu seja o gênio bom que socorre e salva, e o senhor o gênio mau que traz o desespero e as lágrimas.

— Lágrimas! — protestou o inglês.

— Claro! O casal d'Imblevalle está demolido e Alice Demun chorando.

— Ela não podia mais ficar... Ganimard terminaria surpreendendo-a... e por meio dela seria possível chegar à Sra. d'Imblevalle.

— Totalmente de acordo, mestre, mas de quem é a culpa?

Dois homens passaram à sua frente. Sholmes, com uma voz cujo timbre parecia ligeiramente alterado, disse a Lupin:

— Sabe quem são esses cavalheiros?

— Acho que reconheci o capitão do navio.

— E o outro?

— Eu não sei.

— É o Sr. Austin Gillet. Ele ocupa na Inglaterra um cargo que corresponde ao do Sr. Dudouis, seu chefe da Sûreté.

— Que sorte! Faria a gentileza de me apresentar? O Sr. Dudouis é um dos meus fiéis amigos e eu ficaria feliz em poder dizer o mesmo do Sr. Austin Gilett.

Os dois cavalheiros voltaram.

— E se eu o levasse ao pé da letra, Sr. Lupin? — disse Sholmes, levantando-se.

Agarrara o pulso de Arsène Lupin e o apertava com uma mão de ferro.

— Por que aperta tão forte, mestre? Estou pronto a segui-lo.

Deixava-se, de fato, arrastar sem a menor resistência. Os dois cavalheiros se afastavam.

Sholmes apertou o passo. Suas unhas penetravam na carne de Lupin.

— Vamos... vamos... — proferia surdamente, numa espécie de pressa urgente em resolver tudo o mais rápido possível. — Vamos! Mais depressa.

Mas ele parou: Alice Demun os seguira.

— O que está fazendo, senhorita! É inútil... Não venha!

Foi Lupin que respondeu:

— Peço-lhe que observe, mestre, que a senhorita não vem por vontade própria. Estou apertando seu pulso com uma energia semelhante à que o senhor usa comigo.

— E por quê?

— Ora! Faço questão de apresentá-la também. Seu papel no caso da lâmpada judaica é ainda mais importante que o meu. Cúmplice de Arsène Lupin, cúmplice de Bresson, ela deve contar também a aventura da baronesa d'Imblevalle, o que será de grande interesse para a justiça... E assim o senhor terá levado sua intervenção benéfica até seus últimos limites, generoso Sholmes.

O inglês largara o pulso de seu prisioneiro. Lupin libertou a senhorita.

Ficaram alguns segundos imóveis, um em frente ao outro. Em seguida, Sholmes voltou ao seu banco e sentou. Lupin e a moça reocuparam seus lugares.

Um longo silêncio os dividiu. Até Lupin dizer:

— Veja, mestre, faça o que fizermos, nunca estaremos do mesmo lado. O senhor está de um lado da vala e eu, do outro. Podemos nos cumprimentar, apertar as mãos, conversar por um momento, mas a lacuna está sempre presente. O senhor será sempre Herlock Sholmes, detetive, e eu Arsène Lupin, ladrão. E Herlock Sholmes sempre obedecerá, com maior ou menor destreza, ao seu instinto de detetive, que é perseguir o ladrão e prendê-lo se possível. E Arsène Lupin será sempre fiel à sua alma de ladrão, evitando as garras do detetive e zombando dele se a ocasião se apresentar. E dessa vez a ocasião se apresentou! Ah, ah, ah!! — Desatou a rir, um riso sarcástico, cruel e abominável...

De repente, ficou sério e se inclinou na direção da moça:

— Garanto, senhorita, de que, mesmo reduzido ao limite extremo, eu não a teria traído. Arsène Lupin nunca trai, sobretudo aqueles a quem ama e admira. E permita-me lhe dizer que amo e admiro a valorosa e querida criatura que a senhorita é.

Puxou de sua carteira um cartão de visita, rasgou-o ao meio, estendeu metade à moça e, com a mesma voz comovida e respeitosa:

— Se o Sr. Sholmes não for bem-sucedido em sua iniciativa, senhorita, apresente--se na casa de Lady Strongborough (encontrará com facilidade seu endereço atual) e entregue-lhe essa metade de cartão, dirigindo-lhe estas duas palavras: "memória fiel". Lady Strongborough lhe será devotada como uma irmã.

— Obrigada! — disse a moça. — Irei amanhã mesmo à casa dessa senhora.

— E agora, mestre — exclamou Lupin, no tom jubiloso de um cavalheiro que cumpriu seu dever —, desejo-lhe boa noite. Ainda temos uma hora de travessia.

Vou aproveitá-la.

Ele se esticou de comprido e cruzou as mãos atrás da cabeça.

O céu se abriu diante da lua. Em volta das estrelas e rente ao mar, sua luz brilhante se espalhava. Ela estava flutuando na água, e a imensidão, onde as últimas nuvens se dissiparam, parecia pertencer a ela.

A linha da costa destacava-se contra o horizonte escuro. Os passageiros voltaram. A ponte estava repleta de pessoas. O Sr. Austin Gilett passou na companhia de dois indivíduos que Sholmes reconheceu como policiais ingleses.

Lupin estava dormindo em seu banco...

**CONFIRA NOSSOS
LANÇAMENTOS AQUI!**

Camelot
EDITORA

CamelotEditora